Die drei großen Heiler

Monika Jünemann • Sylvia Luetjohann

Die drei großen Heiler

Teebaum • Johanniskraut • Schwarzkümmel

WINDPFERD

Die in diesem Buch angeführten Informationen sind sorg-
fältig recherchiert und nach bestem Wissen und Gewissen
weitergegeben worden. Gleichwohl übernehmen Verlag und
Autor keinerlei Haftung für Schäden irgendeiner Art, die direkt oder indirekt aus der Anwendung oder Verwertung der
Angaben in diesem Buch entstehen. Die Informationen in
diesem Buch sind für Interessierte und zur Weiterbildung
gedacht und nicht als Therapie- oder Diagnoseanweisun-
gen im medizinischen Sinne zu verstehen.

1. Auflage 1997

© 1997 by Windpferd Verlagsgesellschaft mbH, Aitrang
Alle Rechte vorbehalten
Umschlaggestaltung: Kuhn Grafik, Digitales Design, Zürich
Fotos Johanniskraut und Schwarzkümmel: Regina v. Hilchen
Fotos Teebaum: Andreas Hülsmann
Zeichnungen im Innenteil: Elisabeth Pabst
Lektorat: Sylvia Luetjohann und Monika Jünemann
Layout/Satz: *panta rhei!* – MediaService, Uwe Hiltmann, Niedernhausen/Ts.
Herstellung: Schneelöwe, 87648 Aitrang

ISBN 3-89385-194-1

Printed in Germany

Inhaltsverzeichnis

Widmung und Danksagung

Wir möchten den *Drei Großen Heilern* danken, die uns in folgender Weise bei der Arbeit an diesem Buch unterstützten:

❀ *Johanniskraut*, die „goldene Blume", die uns half, die Umtriebigkeit, die sich beim Schreiben eines Buches leicht einstellt, nach innen zu lenken und nervlich gestärkt aus einer aktiven Entspannung heraus arbeiten zu können;

❀ *Teebaumöl*, dessen Duft klares Denken förderte, mit seinem frischen „Geist aus der Flasche" oft die Müdigkeit auffing und auch Computer-Viren vertrieb;

❀ *Schwarzkümmel* oder Nigella mit den vielen Namen und Gestalten, die uns ungeahnte Funde in orientalischen Gewürzmärkten und viele kreative Ideen für neue Rezepte sowie die nächste Gartenbepflanzung beschert hat.

Diesen verläßlichen Helfern sei unser Buch in Dankbarkeit gewidmet.

Drei unvergleichliche Naturheilmittel

Die Frage, ob es nicht gewagt sei, über diese drei ebenso universalen wie unvergleichlichen Naturheilmittel ein gemeinsames Buch zu schreiben, ist nicht ganz unberechtigt. Sie wurde uns nicht nur hin und wieder von anderen gestellt, die an unserer Arbeit positiven Anteil nahmen, sondern sie tauchte auch in unseren eigenen Köpfen, bei Recherchen und Gesprächen, nicht zuletzt bei der praktischen Erprobung der „drei großen Heiler" immer wieder auf.

Das ätherische Teebaumöl, das kaltgepreßte Öl aus Schwarzkümmelsamen und der geheimnisvolle Psycho-Wirkstoff aus dem Johanniskraut gehören zu den derzeit beliebtesten Naturheilmitteln, und wir wollten den Gründen dafür nachgehen. Eigene Erfahrungen bei der Anwendung hatten uns überzeugt, ja begeistert, doch wir wollten es genauer wissen – um dieses Wissen auch vermitteln zu können. Also haben wir zunächst einmal versucht, die Wirkungen und Anwendungsmöglichkeiten auf einen gemeinsamen Nenner zu bringen.

Das ätherische Teebaumöl, das kaltgepreßte Öl aus Schwarzkümmelsamen und der geheimnisvolle Psycho-Wirkstoff aus dem Johanniskraut gehören zu den derzeit beliebtesten Naturheilmitteln.

Das Wirkungsspektrum ist bei allen dreien ausgesprochen breit und vielfältig. Haupteinsatzbereiche sind fast sämtliche, durch die verschiedenen Mikroorganismen ausgelösten Infektionen und die Regulierung eines gestörten Immunsystems, was sich z. B. auf die aussichtsreiche Behandlung von allergischen Erkrankungen der Atemwege und der Haut auswirkt. Die Wirksamkeit auch gerade dort, wo andere Mittel offenbar versagen, scheint sich aus der einmaligen, synergetisch wirkenden Zusammensetzung ihrer Inhaltsstoffe zu ergeben, die zudem keine Nebenwirkungen auslösen.

Die meisten unserer gesundheitlichen Beschwerden haben eine ganz ähnliche Ursache – nämlich eine Infektion durch Mikroorganismen wie Bakterien und Viren, Parasiten

Das Wirkungsspektrum der drei großen Heiler ist ausgesprochen breit und vielfältig – auch gerade dort, wo andere Mittel offenbar versagen.

und zunehmend auch Pilze. In der herkömmlichen Medizin wird in der Regel jedes Krankheitssymptom mit einem eigenen Medikament behandelt – was dann nicht selten zu einer überfüllten Hausapotheke (und viel giftigem „Sondermüll"), aber auch zu der vielzitierten Überlastung unseres öffentlichen Gesundheitswesens führt.

Echte Naturheilmittel, die diesen Namen jenseits von Modeerscheinungen verdienen, arbeiten dagegen mit einem ganzheitlichen Ansatz und wirken auf die Ursachen von Krankheitssymptomen ein. So sind unsere drei großen Heiler, Teebaum, Johanniskraut und Schwarzkümmel, allesamt „natürliche Antibiotika". Die Natur möge uns dieses Paradox verzeihen, denn eigentlich sind Antibiotika ja gegen sie und das Leben gerichtet. In diesem Zusammenhang dient dieser scheinbare Widerspruch jedoch einer möglichst anschaulichen Beschreibung, denn natürliche Antibiotika bekämpfen zwar Krankheitserreger, aber ohne schädliche Nebenwirkungen, und wirken gleichzeitig mit den Mitteln der Natur unterstützend auf eine Stärkung der körpereigenen Abwehrkräfte und Möglichkeiten zur Selbstheilung.

Synthetisch hergestellte, also chemische Antibiotika halten die Krankheitssymptome zwar oft, zumindest für eine gewisse Zeit, erfolgreich in Schach, haben aber sehr häufig weniger erfreuliche Begleiterscheinungen:

1. Die bereits erwähnten Nebenwirkungen („Lesen Sie die Packungsbeilage oder ...") äußern sich in anderen „neuen" Beschwerden. Aufgrund toxischer Eigenschaften können alle möglichen Reizungen hervorgerufen werden und sich in Unverträglichkeit oder allergischen Reaktionen niederschlagen; ohne Gegenmaßnahme setzen sich die Toxine oft auch im Körper fest. Gerade durch Antibiotika wird nämlich, als unwillkommener Nebeneffekt, das symbiotische Zusammenwirken mit nützlichen Mikroor-

„Natürliche Antibiotika" bekämpfen Krankheitserreger ohne Nebenwirkungen und stärken die Abwehrkräfte des Körpers.

ganismen und damit das innere ökologische Gleichgewicht im Körper empfindlich gestört. Das geschieht, wenn beispielsweise Milchsäurebakterien im Darm durch aggressive Medikamente ebenfalls abgetötet werden und dadurch das ungehemmte Pilzwachstum (etwa des Hefepilzes Candida albicans) nicht mehr kontrollieren können.

Ebenso kann das Immunsystem geschwächt, überfordert oder schlimmstenfalls generell blockiert werden. Damit kommt es vermehrt zu Infektionen, zu deren Bekämpfung dem Körper dann die eigenen Abwehrkräfte fehlen – und erneut Medikamente eingesetzt werden müssen. Ein Kreislauf beginnt ... und häufig muß die Dosierung des Medikamentes gesteigert werden, damit es überhaupt noch wirkt. Daraus kann das Problem suchtähnlicher Gewohnheiten und Abhängigkeiten entstehen, wie der schnelle und automatische Griff zur Schmerztablette.

Wenn die Wirkung spürbar nachläßt oder das Medikament sogar wirkungslos bleibt, gibt es allerdings auch noch eine weitere Möglichkeit der Erklärung:

2. Der menschliche Organismus bzw. die ihn belagernden Mikroorganismen, die es abzuwehren gilt, zeigen sich mit der Zeit zunehmend resistent gegen das Medikament, sie werden sozusagen „immun" dagegen. Das scheint für sie gar nicht so besonders schwierig zu sein, da Antibiotika wegen der erwähnten Behandlungsmethode von Einzelsymptomen im Unterschied zu vielen Naturheilmitteln aus wenigen Substanzen in relativ einfacher Zusammensetzung bestehen. Folglich passen sich Bakterien und Viren unter „Streß", verursacht durch ihre Bekämpfung, den gegen sie eingesetzten Mitteln immer geschickter an, indem sie mutieren und dabei die Gelegenheit nutzen, auch noch virulenter zu werden, näm-

Gegen die Bekämpfung mit synthetisch hergestellten Antibiotika können Krankheitserreger mit der Zeit leichter resistent werden.

lich: Sie vermehren sich rascher, entwickeln immer mehr Kraft, werden dadurch für Kranke gefährlicher und müssen – damit sich der Kreislauf erneut schließt – mit immer härteren Mitteln bekämpft werden.

Genau diesen Mechanismus können wir auch im Garten beobachten und dann übertragen: Es ist altes Erfahrungswissen, daß die meisten „Schädlinge" (wie der Mensch sie nennt) sogenannte Schwächeparasiten sind, also zuerst Pflanzen mit Wachstumsstörungen bzw. einem geschwächten Abwehrsystem befallen. Ein kluger und naturgemäß arbeitender Gärtner löst dieses Problem u. a. durch die Schaffung eines gesunden Milieus im Boden und die Förderung aller Nützlinge zur Erhaltung des ökologischen Gleichgewichts. Durch den Einsatz von Mitteln zur Schädlingsbekämpfung werden Nützlinge aber oft getötet und die Schädlinge immer resistenter – was zum Einsatz von immer intensiver wirkenden Giften führt, wodurch die Pflanzen immer anfälliger und zudem für den Verzehr giftiger werden ...

Es gibt hier übrigens einen bestürzenden Vergleich mit unseren Krankenhäusern, wo trotz aller Hygienemaßnahmen ein geradezu idealer Nährboden für untherapierbar und gegenüber Antibiotika resistent gewordene Mikroben vorhanden ist, die Patienten mit einem ohnehin schon abwehrschwachen Organismus als sekundäre Krankheitserreger bedrohen.

3. Es müßte uns auch zu denken geben, daß Antibiotika zwar seit Jahrzehnten als Allheilmittel gegen Infektionskrankheiten hochgelobt werden, diese aber nicht zum Verschwinden gebracht haben. Immer noch ist auch weder ein Kraut zur Vorbeugung von echter Influenza-Grippe oder Bronchitis oder gegen Nieren- und Blasenentzündung gewachsen, und bisher versagen noch alle herkömmlichen Mittel, von einer Symptomenbehandlung einmal abgesehen, gegen Hautkrankheiten oder die sich immer weiter verbreitenden Pilzmykosen. Ganz läßt sich der Gedanke nicht von der Hand weisen, daß gerade zwischen dem Einsatz von synthetisch hergestellten Antibiotika und Antiseptika und der Zunahme bestimmter Krankheitssymptome ein

Gegenüber Antibiotika resistent gewordene Krankheitserreger stellen eine besondere Gefahr für einen Organismus mit geschwächter Immunabwehr dar.

bedenklicher, ein bedenkenswerter Zusammenhang bestehen könnte.

Wenn wir nach diesem Exkurs nun wieder zu unseren drei natürlichen Heilern, Teebaum, Johanniskraut und Schwarzkümmel, zurückkehren und die eben angeführten Kriterien und Begleiterscheinungen überprüfen, können wir immerhin aufgrund von vergleichender praktischer Erfahrung feststellen, daß

❀ bei sachgemäßer Anwendung und richtiger Dosierung keine Reizungen hervorgerufen werden oder toxische Nebenwirkungen als Folge auftreten

❀ die Dosis nicht gesteigert werden muß, damit die Wirksamkeit erhalten bleibt (meistens ist sogar das Gegenteil der Fall)

❀ alle Krankheitserreger es äußerst schwer haben dürften, gegen Mittel mit einer solch komplexen Struktur und zum Teil mehr als hundert verschiedenen Inhaltsstoffen völlige Resistenz zu entwickeln.

Kommen wir schließlich zu dem Gedanken der Wirksamkeit unserer „drei großen Heiler" auch dort, wo andere Mittel bisher zu versagen scheinen. Wir denken, als Beispiel dafür zumindest hartnäckige, durch Mikroben verursachte Infektionen, Pilzerkrankungen, Allergien und andere, aus einer gestörten Körperabwehr entstehende Beschwerden nennen zu können, wobei den vielfältigen Hauterkrankungen als „Spiegel" für das gestörte Gleichgewicht zwischen Mensch und Umwelt ein besonderer Stellenwert zukommt. Auch die Dreiheit von Immunsystem, Hormonsystem und Nervensystem spricht positiv auf die drei großen Heiler an.

Aufgrund der drei wunderbaren Möglichkeiten, die uns die Natur hier so freigebig schenkt, braucht nun aber keiner in Verwirrung zu geraten oder verzweifeln, weil er nicht weiß, wie, wofür oder wogegen er diese großen Heiler am besten nutzt; zudem vertragen sie sich sehr gut miteinander, ergänzen sich zum Teil sogar und können auch kombiniert werden. Trotz mancher beschriebenen Gemeinsamkeiten lassen sich bei ihrem genaueren Studium, aber vielleicht besser noch durch die praktische Erprobung eindeutige Schwerpunkte für die Wirkungsweise und Anwendung feststellen. Aus unserer eigenen Erfahrung wie auch der von anderen hat

❀ Teebaumöl eine stark antiseptische, antimykotische, insbesondere antibakterielle und antivirale Wirkung mit fast ausschließlich äußerlichen Anwendungsmöglichkeiten, vor allem auf die Haut bei krankhaften Veränderungen und Wunden sowie bei Entzündungen der Schleimhäute; wirksam unterstützt durch

❀ Johanniskraut, das zwar ebenfalls antibakterielle und antivirale Eigenschaften besitzt und ein hervorragendes Mittel für äußere Wunden, gleichzeitig aber auch *der* „Balsam für innere Wunden" ist und die stärkste geistig-seelische Heilwirkung hat; wiederum gut ergänzt durch

❀ Schwarzkümmel, der durch den Einfluß seiner Wirkstoffe auf das Immunsystem zu schwache wie zu starke Reaktionen regulieren kann und für chronische, besonders allergische und hormonell bedingte Erkrankungen wie prädestiniert zu sein scheint.

Wir wollen aber trotzdem noch einmal zusammenfassen, was Teebaumöl, Johanniskraut und Schwarzkümmelsamen gemeinsam ist und warum sie in keiner Hausapotheke fehlen sollten:

❀ Es handelt sich nicht um Arzneimittel im herkömmlichen Sinn, aber sie können eine ganze Reihe oft kostspieliger Medikamente ersetzen, da sich ihr Wirkungsspektrum nicht auf Einzelsymptome beschränkt und sie viele Beschwerden zumindest lindern können.

❀ Sie sind schon bei minimaler Dosierung hochwirksam und dabei gut verträglich, also frei von Nebenwirkungen, so daß sie sowohl für besonders empfindliche und leicht allergisch reagierende als auch für ökologisch bewußte Menschen eine echte Alternative bei mehr als nur einem leichten Schnupfen oder verdorbenen Magen bieten.

❀ Sie sind darüber hinaus sehr vielseitig einsetzbar, denn sie lassen sich auch zur Haut- und Körperpflege, Kosmetik, Tierpflege sowie für die Hygiene und in der Küche verwenden.

Etwa seit Mitte der siebziger Jahre ist in unserer Gesellschaft ganz allgemein eine deutliche Zunahme des Interesses an alternativen Heilmethoden und an natürlichen Heilmitteln festzustellen, von denen manche eine sehr große Popularität genießen. Aus der alten Kräuterheilkunde ist nun mittels wissenschaftlicher Untersuchungen und moderner Weiterentwicklungen mit dem Ziel der Identifizierung von Wirkstoffen, der Standardisierung, des Nachweises der Wirksamkeit und auch der Feststellung möglicher toxischer Eigenschaften, die sich auf die Dosierung auswirken, die moderne Phyto- und Aromatherapie geworden.

Mit der Wahl natürlicher Heilmittel übernehmen wir einen Teil an Selbstverantwortung für Körper und Gesundheit.

Diese Forschungen sind wichtig und notwendig, aber zusätzlich ist auch jeder einzelne in den Prozeß einbezogen, beim Umgang mit diesen Naturheilmitteln, die in erster Linie der Aktivierung von körpereigenen Abwehrkräften dienen, für sich selbst gesundheitsbewußt und eigenverantwortlich zu handeln. In der Homöopathie, die als Erfahrungsheilkunde *per se* gilt, werden Arzneimittelbilder oft so beschrieben, daß man sich nicht nur augenblicklich die dem Mittel entsprechenden Beschwerden, sondern oft auch den dazugehörigen Menschentyp vorstellen kann. In diesem Sinne möchten wir dazu anregen, daß sich jeder selbst ein wenig in diesen Pflanzenbildern widergespiegelt finden mag und bei der Wahl seines Heilers – oder auch in der Kombination – auf die Resonanz achtet, womit er einen Teil an Selbstverantwortung für seinen Körper und seine Gesundheit übernimmt. Entsprechend möchten wir in diesem Buch zur Beurteilung der Qualität, zur Wahl der am besten geeigneten Form des Heilmittels sowie zu seinem richtigen Gebrauch anregen, jedoch keine Empfehlungen für bestimmte Präparate aussprechen, sondern auch hier zur Eigeninitiative auffordern.

Abschließend soll noch angemerkt werden, daß der naturheilkundliche Ansatz durch eine entsprechend bewußte Lebensweise sinnvoll ergänzt wird; denn selbst die drei großen Heiler sind natürlich keine „Wundermittel", sondern auch für sie trifft der, bei einigem Nachdenken gar nicht mehr so simple Satz zu: *Vorbeugen ist besser als heilen.*

Der
große Heiler

Teebaum

*Ein mächtiger alter Teebaum am Rande
der Sümpfe von Bungawalbyn*

*Die nadelförmigen
Blätter enthalten die
starken Heilkräfte*

Die allererste eigene Erfahrung mit dem Teebaum, die uns nachhaltig beeindruckte, entstand aus dem intuitiv gefaßten Entschluß, ein paar Tropfen des ätherischen Öls gegen eine regelmäßig wiederkehrende Ameisenstraße in der eigenen Küche einzusetzen. Alle anderen Versuche, nur hartes Gift ausgenommen, hatten sich über Jahre als wirkungslos erwiesen – nun aber war der Erfolg ebenso durchschlagend wie dauerhaft. Das kleine Fläschchen mit der Essenz, ein Mitbringsel, war vorher wegen seines zwar erfrischenden, aber auch recht strengen Geruchs und Geschmacks nur sehr sporadisch zum Gurgeln verwendet worden. Plötzlich war es in den Brennpunkt der Aufmerksamkeit geraten, denn als nichttoxische Substanz mußte es ja irgendwie sehr bemerkenswerte Qualitäten besitzen ...

Teebaumöl, das grüne Gold Australiens, ist zu einem ungewöhnlich populären Naturheilmittel geworden.

Inzwischen ist Teebaumöl, auch als das „grüne Gold" Australiens gelobt, durch sein breites Wirkungsspektrum zu einem ungewöhnlich populären Naturheilmittel geworden. Der australische Teebaum, mit botanischem Namen *Melaleuca alternifolia*, der auch als „Tea Tree" (oder sogar „Ti-Tree") bezeichnet wird, ist die derzeit bekannteste Teebaumart.

Die Pflanze

Melaleuca alternifolia gehört, wie Eukalyptus, Kajeput und Myrte, zu den Myrtengewächsen (*Myrtaceae*), wozu auch die beiden anderen Teebäume, die Leptospermum-Arten *Manuka* und *Kanuka* gezählt werden, von denen später noch die Rede sein wird.

Heimisch ist die Pflanze im subtropischen Buschland von New South Wales an der Ostküste Australiens. Das qualitativ beste Teebaumöl stammt aus den Feuchtgebieten und Sümpfen von Bungawalbyn im nördlichen New South

Wales. Insgesamt gibt es aber noch viele andere Varietäten des Teebaums – bis zu 300 Arten werden in Australien
geschätzt, und auch in Südafrika, Indien und Malaysia ist
der Teebaum verbreitet.

Der immergrüne buschartige Baum, der in den mittler-
weile angelegten Plantagen als ein etwa zwei Meter hoher
Strauch kultiviert wird, erreicht unter natürlichen Bedin-
gungen eine Höhe bis zu maximal acht Metern. Er hat
schmale lanzettenförmige, fast nadelartige Blätter, ähnlich
wie die Zypresse, und weißliche Blüten mit stark aromati-
schem Duft, der an Eukalyptusöl erinnert.

Die weißen Siedler an der Nordküste von New South
Wales haben den Teebaum als „Plage" betrachtet, denn er
behinderte sie bei ihrem Plan, die dorti-
gen Sümpfe trockenzulegen, um das
Land für den Anbau von „Nutzpflanzen"
zur Verfügung zu haben. Der Teebaum ist,
wie die gesamte Pflanzenfamilie, äußerst
zäh; vor allem hat er ein hartnäckiges,
sehr tiefreichendes Wurzelgeflecht. Man
muß seine Wurzeln bis auf den letzten
Rest ausgraben, sonst wachsen rasch
neue Triebe aus dem Stumpf hervor. Er hat eine wirksame Abwehr gegen seine natürlichen Feinde entwickelt, also
außer Insekten vor allem Bakterien, Viren und Pilze, um
sich im feuchtwarmen subtropischen Klima gegen diese
behaupten zu können. Dabei half ihm immer schon das in
seinen Blättern enthaltene ätherische Öl, das ihn zur alten
Heil- und Gewürzpflanze machte.

*Das qualitativ beste
Teebaumöl stammt
aus den Feuchtgebie-
ten und Sümpfen
von Bungawalbyn
im nördlichen New
South Wales.*

Das ätherische Öl im Teebaum

Viele ätherische Öle haben heilende und vorbeugende Eigenschaften. Der Teebaum gehört zu den Pflanzen, die nicht
nur sich selbst durch ätherische Substanzen gegen die Einflüsse durch Pilzbefall, Bakterien oder andere Parasiten ver-
teidigen können, sondern auch den Menschen vor denselben

Schäden sowie vor Allergenen und Toxinen schützen. Für diese Wirkung ist Teebaumöl eines der besten Beispiele, „das wirkungsvollste und bestverträgliche ätherische Öl mit antimikrobischen Eigenschaften", wie der Aromatherapeut Robert Tisserand begeistert erklärt.

Teebaumöl ist das wirkungsvollste und bestverträgliche ätherische Öl mit antimikrobischen Eigenschaften.

Die weißlichen Blüten verströmen einen stark aromatischen Duft

Die Aborigines, die australischen Ureinwohner, wußten natürlich darum und auch um die antiseptische Wirkung bei Wunden – was selbst die weißen Siedler notgedrungen anerkennen mußten, wenn sie sich beim Roden des Teebaums Verletzungen zuzogen und seine zerdrückten Blätter, zusammen mit warmem Lehm, als desinfizierende und gleichzeitig die Wundheilung beschleunigende Kompressen auflegten.

21

Die faszinierende Geschichte der Entdeckung

Der populäre englische Name „Tea Tree" geht zurück auf Captain James Cook, den berühmten englischen Weltumsegler auf der Suche nach der „Terra australis". Als er 1770 in der Botany Bay an der Nordostküste Australiens landete, brühte seine Schiffsmannschaft aus den Blättern der dort häufig vorkommenden Bäume ein würziges und erfrischendes Getränk als „Tee-Ersatz" auf. Wahrscheinlich wirkte sich dieses auch stimmungshebend aus; über mögliche Heilwirkungen können jedoch nur Spekulationen angestellt werden. Sir Joseph Banks, der als Botaniker dieser Expedition angehörte, nahm zwar Proben der klebrigen Blätter zur Untersuchung mit nach England zurück, doch die medizinischen Eigenschaften des Teebaums blieben offenbar verborgen. Es sollten noch 150 Jahre vergehen, bis Untersuchungen des ätherischen Öls aus den Teebaumblättern seine starke antiseptische und bakterizide Wirkung nachwiesen.

Der „Tea Tree" erhielt seinen Namen 1770, als die Mannschaft von Captain James Cook aus seinen Blättern ein würziges und erfrischendes Getränk als „Tee-Ersatz" aufbrühte.

Das alte Wissen der Aborigines

Natürlich war das Öl bei den Aborigines, besonders dem Stamm der Bundjalung, schon seit Jahrhunderten, wenn nicht Jahrtausenden bekannt. Aufgrund seiner hervorragenden antiseptischen Eigenschaften eignete es sich für die Wundbehandlung, bei Schnitten, Verbrennungen und Sonnenbrand, bei Hautentzündungen, Furunkeln und Bläschenflechten. Auf die Wunde bzw. die betroffene Körperstelle wurden zerbröselte Blätter gelegt und mit einer warmen Schlammpackung abgedeckt. Auch bei Halsentzündungen, Geschwüren in der Mundhöhle und Zahnschmerzen, bei Infektionen im Nasen- und Rachenbereich konnten die Bundjalung auf die Heilkräfte des Teebaums zurückgreifen. Durch Zerreiben der Blätter von verschiedenen Sorten (die heute als „Chemotypen" bezeichnet werden) konnten sie den jeweils besten Verwendungszweck feststellen: Bei einem starken Duft nach Eukalyptus – also einem höheren Cineol-Gehalt – halfen die ätherischen Wirkstoffe bei Erkrankungen der Atemwege; bei einem schwächeren Duft – also einem geringeren Anteil von Cineol, aber einem höheren Terpinen-Gehalt – konnten sie auf eine besonders antiseptische keimtötende Wirkung schließen.

Durch Zerreiben der Blätter von verschiedenen Teebaum-Sorten konnten die Aborigines anhand des Duftes die beste Verwendung für bestimmte Heilzwecke feststellen.

Die erste Wiederentdeckung des Teebaumöls

Seit 1923 führte der Chemiker Arthur *Penfold* aus Sydney, der im öffentlichen Dienst stand, eine mehrjährige Testreihe an *Melaleuca alternifolia* durch. 1925 konnte er dann das Ergebnis vorlegen, daß Teebaumöl eine 11–13mal stärkere antiseptische Wirkung als das üblicherweise verwendete Phenol (Karbolsäure) besaß. Es bewirkte die Auflösung von Eiterherden und ließ sogar bei verschmutzten Wunden die Infizierung zurückgehen. Eine frühe Studie wies auch die verblüffende Eigenschaft von Teebaumöl nach, daß das Vorhandensein von Blut, Eiter oder anderen organischen Substanzen seine antiseptischen Eigenschaften sogar noch um 10–12 % verstärkte. Dabei entfaltete es seine keimtötende Wirkung, ohne dem mit der Essenz behandelten Gewebe feststellbare Schäden zuzufügen, war also weder toxisch noch reizerzeugend. Im Unterschied dazu greifen die bekannten Antiseptika neben den Bakterien auch das Gewebe an. Durch diese Vorzüge wurde Teebaumöl mit dem Ausbruch des Zweiten Weltkriegs zu einem

Der Chemiker Arthur Penfold stellte in einer mehrjährigen Testreihe fest, daß Teebaumöl eine 11–13mal stärkere antiseptische Wirkung als das üblicherweise verwendete Phenol besaß.

„kriegswichtigen Rohstoff" für die Verbandskästen des Heeres und der Marine.

Schon während des Krieges aber und danach geriet Teebaumöl, trotz Arthur Penfolds Entdeckungen, erst einmal wieder für einige Jahrzehnte in Vergessenheit, da sich die Wissenschaft mehr für synthetisch herstellbare als für natürliche Heilmittel interessierte, wie die bis heute gebräuchlichen Antibiotika und vor allem das seit 1939 eingeführte Penicillin. Diese synthetischen „Wundermittel" hatten zudem den Vorteil, sich schnell und in beliebiger Menge produzieren zu lassen.

Die zweite Wiederentdeckung des Teebaumöls

1976 entstand bei einer australischen Aussteigerfamilie der Plan, im Gebiet von Bungawalbyn eine Teebaum-Farm aufzubauen, um Teebaumöl von höchster Qualität erstmals kommerziell nutzen zu können. Der Plan dazu war aus der persönlichen Erfahrung mit der Essenz bei der Behandlung einer Pilzerkrankung unter den Zehennägeln gereift! Aus dieser winzigen Keimzelle einer einzigen Plantage konnte das Teebaumöl, zuerst über alternative Wochenmärkte und ein paar Naturkostläden vertrieben, als „Erste Hilfe aus der Flasche" seinen Siegeszug um die Welt antreten, wie die folgenden Zahlen nachdrücklich belegen:

Seit Ende der 70er Jahre hat Teebaumöl seinen unaufhaltsamen Siegeszug um die Welt angetreten.

Jahresproduktion 1985 = ca. 10 Tonnen
Jahresbedarf 1992 = ca. 700 Tonnen

Es ist leicht zu erkennen, daß die immer noch stetig wachsende Nachfrage kaum noch aus den Sumpfgebieten von New South Wales zu befriedigen ist ...

Die Ernte der wirkstoffhaltigen Teebaumblätter

Ursprünglich wurden die Blätter von den, im schwer zugänglichen und sumpfigen Buschland wachsenden, Teebäumen „von Hand" geerntet. Nur mit einer sehr leichten, aber messerscharfen Machete bewaffnet, bahnten sich die Schnitter ihren Weg allein durch den Busch, schnitten die Schößlinge vom Stamm ab und schabten mit der Machete die Blätter von den Ästen und Zweigen. Die abgeernteten Blätter und Zweigenden wurden in Jutesäcken gesammelt und zum Destillierofen gebracht. Ein erfahrener Schnitter konnte eine Tagesausbeute von bis zu einer Tonne Teebaumblätter ernten, woraus ca. zehn Liter ätherisches Öl zu gewinnen sind.

Diese Methode, so beschwerlich sie auch war, hatte den Vorteil, daß keine Bäume nachgepflanzt werden mußten. Offenbar durch das Ausschneiden angeregt, wuchsen die Blätter von selbst erstaunlich schnell wieder nach. Die seit 1925 in Bungawalbyn regelmäßig abgeernteten Bäume gehören zu den kräftigsten und liefern ein Öl von höchster Qualität. Noch bis 1988 wurden Teebäume in dieser Weise von einzelnen Schnittern abgeerntet.

Ursprünglich wurden die Blätter von den, im schwer zugänglichen und sumpfigen Buschland wachsenden, Teebäumen „von Hand" geerntet.

Moderne Plantagen

Schon bald war die stetig wachsende Nachfrage nach Teebaumöl nicht allein aus einer nur begrenzten Region in New South Wales zu befriedigen. Die Teebäume brauchen für eine

Der Anbau in Teebaumplantagen für die maschinelle Verarbeitung

Schafe lieben die angrenzenden Wiesen

Die Teebaum-Farmer müssen noch ihre eigenen Erfahrungen sammeln, um ein optimales Ernteergebnis mit den Grundsätzen des ökologischen Gleichgewichts zu verbinden.

optimale Entwicklung zwar Sumpfland, aber es mußte ja nicht unbedingt im tiefen australischen Busch liegen, sondern konnte auch ein etwas besser zugängliches Feuchtgebiet sein. Nährstoffreichere Böden trugen zu einem rascheren Wachstum bei. Für die Pflanzung von Plantagen wurden ausgesuchte Bäume ausgewählt, die einen Ölertrag ohne die üblichen großen Schwankungen in der Qualität sicherstellen. Kleinere, eher buschartige Bäume

26

wurden so gesetzt, daß sie bei der Ernte die Arbeit erleichtern. Die Teebaum-Farmer müssen noch ihre eigenen Erfahrungen sammeln, um ein optimales Ernteergebnis mit den Grundsätzen des ökologischen Gleichgewichts zu verbinden.

Wasserdampf – die Magie der Destillation

Die abgestreiften Teebaumblätter und Zweigenden werden nach traditionellem Verfahren in große Wasserkessel gekippt, das Wasser wird mit langsam brennenden Holzfeuern erhitzt. Durch den aufsteigenden Dampf brechen die Äderchen in den Blättern auf, und aus Hunderten von winzigen „Taschen" oder Drüsen wird das ätherische Öl freigesetzt. Der Öldampf wird durch eine sogenannte Kühlschleife geleitet, wobei er sich verflüssigt und abgesaugt werden kann, da das Öl oben auf dem Wasser schwimmt. Es wird dann filtriert und

Zur traditionelle Destillation brauchte man wenig mehr als einen Kessel und ein Feuer

abgefüllt. Jede in einem Arbeitsgang gewonnene Menge an Teebaumöl wird chemisch genau analysiert, da Öle von den wildwachsenden Bäumen im Busch nie dieselbe Qualität haben können.

Das durch die Kondensation aufgefangene aromatische Wasser ergibt das *Teebaum-Hydrolat*, das vor allem zur Hautpflege verwendet werden kann.

Inhalts- und Wirkstoffe im Teebaumöl

Die Essenz des Teebaums ist nahezu farblos bis blaß zitronengelb und hat einen ausgesprochen charakteristischen Geruch – sehr würzig und streng, fast „medizinisch", am intensivsten bei Teebaumöl von wildwachsenden Bäumen. Er erinnert an Terpentin, Eukalyptus bzw. Kampfer

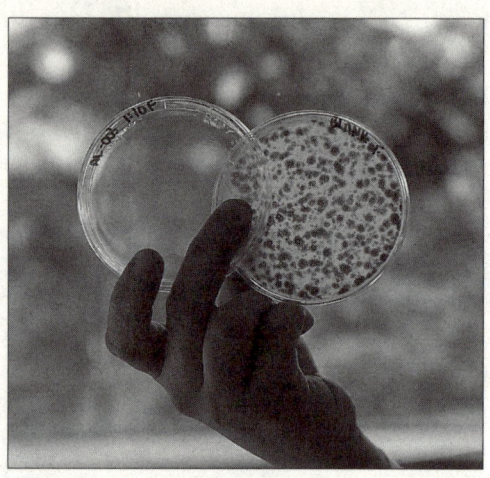

*Die stark antibakterielle Wirkung zeigt
sich auch im Versuch*

und an Muskat. Die Zahl der Inhaltsstoffe wird in der Literatur oft mit 48 angegeben; nach neueren Forschungen wird aber von rund 100 organischen Substanzen ausgegangen. Die höhere Anzahl entsteht offenbar aus einer längeren Destillationszeit (bis zu vier Stunden) und scheint damit auch der natürlichen Zusammensetzung am nächsten zu kommen. Aus ihrer Vielfalt und ihrem synergetischen Zusammenwirken ergibt sich die optimale Heilwirkung des Teebaumöls – und gleichzeitig die zu vermutende Schwierigkeit von Bakterien & Co., sich dagegen immun zu machen ...

Aus der Vielfalt von rund 100 organischen Substanzen und ihrem synergetischen Zusammenwirken ergibt sich die optimale Heilwirkung des Teebaumöls.

Zu den Inhaltsstoffen gehören Monoterpenole und Monoterpene (z. B. Pinen, Terpinen, Cymen), Oxyde (Cineol), Sesquiterpene und Sesquiterpen-Alkohole etc. Als entscheidend für die Wirkung und Qualität wird der Gehalt an 1,8-Cineol und an Terpinen-4-ol angesehen.

Cineol versus Terpinen

Schon Arthur Penfold hatte in Zusammenarbeit mit anderen Forschern festgestellt, daß die Essenz von verschiedenen Teebäumen großen Schwankungen unterlag. Bäume derselben botanischen Herkunft können ätherisches Öl von ganz unterschiedlicher Zusammensetzung hervorbringen. Je nach dem Vorherrschen einer bestimmten Substanz werden verschiedene *Chemotypen* unterschieden, wovon vermutlich auch der Grad an Wirksamkeit in verschiedenen Einsatzbereichen abhängt.

Teebaumöl kann beispielsweise viel Terpinen-4-ol (bis zu 45 %) und wenig Cineol enthalten, was an einer muskatähnlichen Duftnote feststellbar ist. Es kann aber auch einen hohen Cineol-Gehalt haben (der Anteil kann zwischen 2–65 % liegen), so daß es sich wohl eher mit einem cineolreichen Eukalyptusöl vergleichen läßt; dieser Chemotyp läßt sich leicht an seinem kampferartigen Geruch erkennen. Cineol besitzt

Das Öl wird in 10-ml-Flaschen abgefüllt

zwar sehr gute Heilwirkungen, z. B. bei Erkältungskrankheiten, reizt jedoch die Schleimhäute und brennt auf der Haut; in hoher Konzentration ist es daher weder bei Entzün-

29

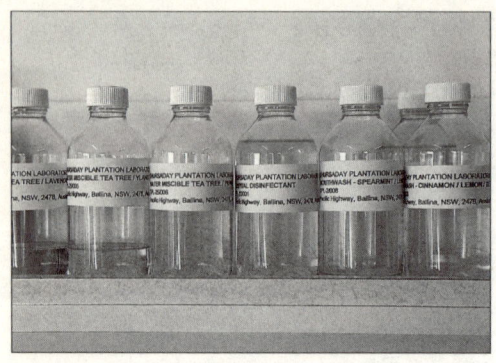

Die Inhaltsstoffe müssen ständiger Kontrolle unterliegen

dungen noch zur Wundheilung zu verwenden.

Ein Öl mit einem zu niedrigen Gehalt an Terpinen-4-ol erweist sich dagegen als medizinisch nicht so wirksam wie erwartet, denn Terpinen besitzt stark antiseptische, bakterizide Eigenschaften, wirkt entgiftend und immunstärkend, regt die körpereigene Hormonproduktion an und hat eine besonders regenerative Heilwirkung.

Nach den heutigen offiziellen Bestimmungen soll der Terpinen-4-ol-Gehalt mindestens 30 % und der 1,8-Cineol-Gehalt höchstens 15 % betragen.

Nach den heutigen offiziellen Bestimmungen soll der Terpinen-4-ol-Gehalt mindestens 30 % betragen, während der Cineol-Gehalt unter 15 % liegen muß. Der „Rolls Royce" unter den Teebaumölen hat sogar einen Terpinen-4-ol-Gehalt von 40 % oder mehr und einen Cineol-Gehalt unter 4 %.

Nur ein geschicktes Produkt-Marketing?

Es soll hier aber noch eine kritische Anmerkung angefügt werden, die sich auf ein Phänomen bezieht, das vielleicht Ausdruck für ein geschicktes „Produkt-Marketing" sein kann: Dies betrifft die Margen für Terpinen-4-ol und 1,8-Cineol.

Im Handel werden auch andere Melaleuca-Arten (wie *Melaleuca linarifolia* oder *M. dissitiflora*) als „Teebaumöl" verkauft, wenn sie dem Standard der genormten Inhaltsstoffe Terpinen und Cineol entsprechen. Da das Spektrum bei beiden, wie wir gesehen haben, äußerst breit ist, besteht die Gefahr, daß das Öl häufig maßgerecht „verschnitten" wird. Wird der Cineol-Gehalt durch weiteres Mischen

30

nach unten und der Terpinen-4-ol-Gehalt nach oben gedrückt, so hat das Öl seine natürliche Ganzheitlichkeit und damit vermutlich auch einen Teil seiner natürlichen Heilkraft verloren.

Als weitere Nebenwirkung aus diesem „Produkt-Marketing" ergibt sich die Konsequenz, daß bei Teebaumöl, das nicht aus kontrolliert biologischem Anbau stammt, viel stärker in die Entwicklung der Pflanzen eingegriffen werden kann. Selbst bei einem Cineol-Gehalt unter 3,5 % und einem Terpinen-4-ol-Gehalt über 35 % sind schon Hautreizungen beobachtet worden; die sogenannte „kosmetische" Qualitätsstufe C darf keinesfalls unverdünnt angewendet werden.

Wir möchten in diesem Zusammenhang betonen, daß es entscheidend ist, in welcher natürlichen molekularen Zusammensetzung z. B. Cineol in einer Pflanze bzw. einem Öl vorkommt, denn es wird ja niemals pur verwendet. Cineol ist das in ätherischen Ölen am meisten vorhandene Oxyd und ein besonders wichtiger Wirkstoff in der gesamten Pflanzenfamilie der Myrtengewächse. Innerlich eingenommen, wirkt Cineol schleim- und krampflösend sowie keimtötend. Erst in extrem hoher Dosierung wirkt es toxisch, lähmt das Nervensystem und senkt den Blutdruck, die Atemfrequenz und die Körpertemperatur. Cynthia Olsen berichtet in ihrem Buch „Die Teebaumöl-Hausapotheke" von mehreren Fällen, in denen Kinder versehentlich je 25 ml Tea Tree Oil tranken und als Folge davon (nur) ca. 24 Stunden lang schläfrig waren und leichten Durchfall hatten.

Entscheidend ist, in welchem natürlichen molekularen Zusammenhang Cineol in der Pflanze und ihrem ätherischen Öl vorkommt, denn es wird ja niemals pur verwendet.

Auf die Qualität kommt es an

Da zu billige Öle oft gestreckt oder sogar „naturidentisch", also synthetisch verschnitten sind, empfiehlt es sich, Teebaumöl in Naturkostläden oder Apotheken zu kaufen und auf folgende Angaben zu achten:

- ❀ 100 % ätherisches Öl
- ❀ aus Wildwuchs, kontrolliert-biologischem Anbau (kbA) oder, wenn aus konventionellem Anbau, rückstandskontrolliert
- ❀ Angabe des Ursprungslandes
- ❀ Angabe des deutschen und des botanischen Pflanzennamens.

Ein ausgeprägter Geruch nach Kampfer und ein eher süßliches Aroma sind wahrscheinlich ein Hinweis auf einen hohen Cineol-Gehalt.

Zur Prüfung der Reinheit kann man selbst einen Tropfen Teebaumöl auf ein Filterpapier träufeln. Bei reinem ätherischen Öl bleibt nach einer Weile kein „Fettfleck" zurück – andernfalls ist es mit einem Pflanzenöl gestreckt worden. Synthetisch hergestellte Öle können zwar einen dem natürlichen Öl nachempfundenen Duft verströmen, aber nicht seine Heilwirkung besitzen.

Teebaumöl – das Geheimnis seiner Heilkraft

Nach Robert Tisserand gehört Teebaumöl zu den „aufregendsten" (wieder-)entdeckten ätherischen Ölen der letzten Jahre und spielt in der Aromatherapie eine wichtige Rolle.

Phytotherapie oder Heilpflanzenkunde arbeitet mit der ganzen Pflanze, während Aromatherapie das ätherische, durch Destillation gewonnene Öl aus der Pflanze verwendet. Teebaumöl ist ein ausgezeichnetes Mittel gegen infektiöse Prozesse aller Art, wie Bronchitis, Sinusitis, Zahnabszesse und Zahnfleischentzündung, infektiöse, virale und parasitäre Darmentzündung sowie Pilzinfektionen. Das breite Wirkungsspektrum ergibt sich aus seinen antiseptischen (bakteriziden), antiviralen und fungiziden Eigenschaften und – auch im Sinne von Vorbeugung – der Stimulierung des Immunsystems, das damit um so wirksamer gegen Mikroben und Krankheitserreger vorzugehen vermag.

Das breite Wirkungsspektrum von Teebaumöl ergibt sich aus seinen antiseptischen, antiviralen und fungiziden Eigenschaften und der Stimulierung des Immunsystems.

❀ Durch die *antiseptische* Wirkung auf Bakterien ist Teebaumöl geeignet für die Behandlung von Wunden, Schnitt- und Stichverletzungen, Verbrennungen sowie Hautunreinheiten; zum Desinfizieren bei Infektionen der Atemwege (Bronchitis, Sinusitis) und des Urogenitaltrakts (Blasen- und Scheidenentzündung).

❀ Durch die *antivirale* Wirkung kommt Teebaumöl zum Einsatz bei Erkältungen, zahlreichen Infektionskrankheiten, Herpes, Gürtelrose und sogar Windpocken und Masern. Viren sind äußerst schwer zu behandeln, da sie in die Körperzellen eindringen und vom Immunsystem viel schwieriger als etwa Bakterien zu erkennen und zu bekämpfen sind. Die üblichen Antibiotika versagen bei ihnen.

❀ Durch seine *fungizide* Wirkung bekämpft Teebaumöl Pilzerkrankungen, z.B. durch *Candida albicans* (in Darm oder Vagina) sowie Haut- und Fußpilz und Nagelmykosen.

Außerdem wirkt Teebaumöl
❀ allgemein schmerzlindernd, entzündungshemmend, fördert die Wundheilung und Narbenbildung
❀ schleimlösend und -mildernd für Hals, Brustkorb und die Atemwege
❀ gegen Parasiten und Insekten.

Der französische Aromatherapeut Rodolphe Balz erwähnt als Indikation sogar „Schutz vor Strahlenschäden", also die vorbeugende Wirkung von Teebaumöl bei Verbrennung durch Bestrahlungs-Therapie.

Vielleicht führen weitere Forschungen dazu, in Zukunft für die verschiedenen Anwendungsbereiche die jeweils wirksamsten Chemotypen des Teebaumöls herauszufinden.

Die Wirkung auf das Immunsystem

Teebaumöl wirkt allgemein vorbeugend, bei langwierigen chronischen Krankheiten (z. B. Drüsenfieber, Hepatitis, chronischem Erschöpfungssyndrom; mit Tests bei Aids wurde begonnen) sowie zur Steigerung der Körperabwehr vor einem operativen Eingriff.

Drei verschiedene Zellgruppen, die Phagozyten, die T-Zellen und die B-Zellen, die von weißen Blutkörperchen im Knochenmark bzw. in der Thymusdrüse gebildet werden, schützen den Körper vor Infektionen. Wenn dieses Abwehrsystem geschädigt oder geschwächt ist, wird der Körper anfällig gegenüber Krankheitskeimen. Durch ätherische Öle wird die Bildung von Antitoxinen gefördert und die Zahl der weißen Blutkörperchen vermehrt – eine Wirkung, die therapeutisch als „heilkräftige Leukozytose" bezeichnet wird.

Durch ätherische Öle wird die Bildung von Antitoxinen gefördert und die Zahl der weißen Blutkörperchen vermehrt.

Das Immunsystem wird von anderen Körperfunktionen, besonders dem Lymph- und dem Nervensystem, unterstützt. Die neuere Forschung hat auch Anhaltspunkte dafür gefunden, daß ein unzureichend aktives Immunsystem durch emotionale und psychologische Faktoren mitverursacht sein kann. Durch Bekämpfung von pathogenen Stoffen, Anregung der beteiligten Organe und Zellen sowie eine Stärkung der Immunabwehr kann Teebaumöl hier sehr viel bewirken. So kommt es beispielsweise durch seine harntreibende und entgiftende Wirkung bei Blasenentzündung

34

auch zu einer geistig-seelischen Beeinflussung, da über die Nieren giftige Substanzen ausgeschieden werden, die sonst über das Blut ins Gehirn gelangen und dort Verstimmung auslösen könnten.

Die geistig-seelische Wirkung

Duftende Substanzen erreichen Bereiche des Gehirns, die nicht der bewußten Kontrolle unterliegen; ihre Wahrnehmung beeinflußt unsere Psyche und verwandelt unsere Neigungen. (Marguerite Maury)

Durch die Verbindung zwischen Geruchssinn, Gehirn und Nervensystem besteht auch eine Verbindung zwischen Geruchssinn und Gedanken, Gefühlen und Stimmungen. Ätherische Öle können die Ausschüttung von neurochemisch wirksamen Substanzen und Hormonen auslösen.

Die psychischen Wirkungen des Teebaumöls lassen sich aus dem starken Lebenswillen des Teebaums in seiner natürlichen Umgebung und aus seiner großen Widerstandskraft gegen schädliche Einflüsse ableiten: Er ist so gut wie nicht auszurotten. Wenn man sich bildlich vor Augen führt, unter welchen schwierigen Umweltbedingungen sich der Teebaum zu behaupten hatte, läßt sich dies leicht darauf übertragen, welche Abwehrkräfte er ausgebildet haben muß und in konzentrierter Form an den Menschen weitergeben kann.

Ätherische Öle können die Ausschüttung von neurochemisch wirksamen Substanzen und Hormonen auslösen.

Durch seinen hohen Gehalt an Monoterpenen ist Teebaumöl ein wahres Tonikum für Kreislauf und Nerven und hilft bei allgemeiner und nervöser Asthenie. Zu diesem Zweck verwendet man es entweder zur Fuß- oder Bauchmassage oder verbrennt es in der Duftlampe.

Teebaumöl in der Duftlampe

Die Wirkstoffe eines ätherischen Öls werden sowohl über die Nase, die Atemwege und die Lunge als auch über die Haut und die Schleimhaut vom Körper aufgenommen. Dies geschieht schon dann, wenn man das Öl in etwas Wasser in einer Duftlampe verbrennt und damit die Raumatmosphäre verändert. Durch die Einwirkung auf das Gehirn werden auch psychische Reaktionen ausgelöst, und ebenso findet eine Wirkung auf den Hormonhaushalt statt. Nach etwa einer halben Stunde ist der menschliche Körper von den feinstofflichen Schwingungen der ätherischen Essenz durchdrungen und von deren besonderen energetischen Kraft angereichert.

Bei Konzentrationsschwäche und Entscheidungsunfähigkeit unterstützt Teebaumöl klares logisches Denken und Handeln und wirkt ebenso klärend und reinigend wie sein Duft. Dieser hat eine erfrischende und stärkende Wirkung, die jedoch nur anregend, nicht entspannend ist, wie z. B. Lavendel, Palmarosa oder alle Zitrusöle. Insbesondere Lavendel, das durch seinen hohen Ester-Gehalt (40–50 %) eine sehr entspannende und auch besonders psychische Wirkung hat, ist eine ideale Ergänzung für die konzentrierte Kraft des Teebaums, denn oft sind Anspannung und mangelndes Loslassenkönnen Krankheitsursachen. In dieser Kombination hilft Teebaumöl sogar gegen Schlafstörungen (auch zusammen mit Johanniskrautöl zur Massage). Zudem wird der strenge „medizinische" Charakter durch angenehme Duftmischungen etwas gemildert.

Insbesondere der entspannende Lavendelduft ist eine ideale Ergänzung für die konzentrierte Kraft des Teebaums.

Bei sensiblen, leicht ängstlichen Menschen wirkt Teebaumöl stabilisierend und löst die Ängste auf. Durch die Mischung mit Lavendel und Bergamotte (oder Rose) zu gleichen Teilen wird die Entspannung gefördert; daraus entsteht mehr Selbstvertrauen und dadurch wiederum größere Energie und Belastbarkeit.

Durch eine Stärkung des Selbstvertrauens wird auch ein problemloserer Umgang mit der Welt und den Mitmenschen möglich. Hierfür empfehlen sich Duftmischungen aus Teebaum, Majoran und Rosenholz oder Teebaum, Zitrone und Mimose.

Wichtiger Hinweis:
Für die Verwendung von Teebaumöl in Wasser, z. B. für Spülungen und Sitzbäder, aber auch in der Duftlampe braucht man einen **Emulgator,** *um es wasserlöslich zu machen. Sehr gut geeignet ist dafür etwas lauwarme (nicht über 30°) Milch oder Sahne.*

Die beste Dosierung

Teebaumöl mit seinem relativ geringen Cineolgehalt ist viel verträglicher als das sehr gebräuchliche Eukalyptusöl (Cineol wird übrigens auch als „Eucalyptol" bezeichnet). Terpineol-4-ol enthält pro kg 4,3 g möglicherweise toxisch wirkende Bestandteile.

Trotzdem sollten, bei *innerlicher* Anwendung, größere Mengen und eine längere Einnahme von Teebaumöl vermieden werden. Bei Kindern, die versehentlich 25 ml des unverdünnten Öls getrunken hatten, traten Schläfrigkeit und leichter Durchfall auf; die Symptome waren jedoch nach einem Tag verflogen. Eine Therapeutin, die Candida- und Aids-Patienten mit einer Tagesdosis von 60 Tropfen über mehrere Monate behandelte, hatte vorher einen Selbstversuch mit 120 Tropfen täglich über ein Vierteljahr durchgeführt, ohne daß Nebenwirkungen auftraten. Es wird jedoch keinesfalls zu einer solch hohen Dosierung geraten!

Teebaumöl sollte in der Regel nicht innerlich eingenommen werden, sondern nur in Ausnahmefällen und unter ärztlicher Überwachung.

In vielen Veröffentlichungen wird von einer innerlichen Einnahme von Teebaumöl generell abgeraten. Wo sie empfohlen wird, dann nur in Ausnahmefällen, unter ärztlicher Überwachung und höchstens für die Dauer von 14 Tagen. Nach unserer Erfahrung tropft man das Teebaumöl dafür am besten auf etwas Honig, behält ihn ein paar Minuten im Mund und schluckt ihn dann hinunter. Auf diese Weise können die Wirkstoffe gut über die Schleimhäute des Magen-Darm-Trakts aufgenommen werden.

Auch bei *äußerlicher* Anwendung wird immer wieder zur Vorsicht geraten – vermutlich wegen einer möglicherweise nicht reinen Qualität und eines zu hohen Cineol-Gehalts, was dann allergische Reaktionen der Haut und Schleimhaut hervorrufen kann. Am besten macht man einen Test mit dem unverdünnten Öl auf der Rückseite des Handgelenks und achtet in der nächsten Stunde auf möglicherweise auftretende Reaktionen. In einem solchen Falle sollte man das Teebaumöl nur mit Wasser oder einem Hautöl verdünnt anwenden.

Durch einen Test läßt sich feststellen, ob die Haut allergisch auf unverdünntes Teebaumöl reagiert.

Das echte Öl aus *Melaleuca alternifolia* läßt sich auf vielfältige Weise anwenden. Im Handel erhältlich ist jedoch auch eine mit Wasser verdünnte Mischung, die 15 % der reinen Essenz enthält und auch in dieser Dosierung noch sehr wirksam ist. Ursprünglich wurde in Australien die reine Essenz (*Ti-Trol*) vor allem bei geschlossenen Hautflächen verwendet, während die wasserverdünnte Lösung (*Melasol*) ihre Wirkung besser auf der verletzten Haut, einem entzündeten offenen Gewebe und in den inneren Körperhöhlen entfaltete.

Teebaumöl – eines der populärsten Allroundmittel

Die Substanzen des Teebaums sind nicht nur in dem reinen (oder mit Wasser verdünnten) ätherischen Öl oder in dem bei der Destillation gewonnenen Hydrolat enthalten, sondern inzwischen auch Bestandteil in zahllosen Produkten, die nicht nur in Naturkostläden, sondern auch in Regalen von Supermärkten zu finden sind und von Versandhäusern angeboten werden. Teebaumöl wird auch von naturheilkundlich arbeitenden Therapeuten, Zahnärzten, Masseuren und Chiropraktikern geschätzt und z. B. in Schweizer Krankenhäusern verwendet, um gegen die Ausbreitung von Bakterien und anderen Krankheitserregern anzugehen. Durch seine vielseitig zu nutzenden antiseptischen Fähigkeiten ist es ein nicht so leicht ersetzbares Erste-Hilfe-Mittel für die Haus- und Reiseapotheke geworden.

Durch seine vielseitig zu nutzenden antiseptischen Fähigkeiten ist Teebaumöl ein Erste-Hilfe-Mittel für die Haus- und Reiseapotheke geworden.

Liebevolle Zeichnung von blühenden Teebaumzweigen

Es hat eine vielfach stärkere Wirkung als gängige Desinfektionsmittel. Neben seinen heilenden Wirkungen sind besonders auch seine antimikrobiellen und antitoxischen Eigenschaften besonders hervorzuheben: zum Beispiel bei dem ansonsten tödlichen Biß der – ebenso wie der Tea Tree – nur in New South Wales vorkommenden *Antrax robustus*-Spinne, die der gefürchteten „Schwarzen Witwe" durchaus vergleichbar sein soll!

DIE BESTEN ANWENDUNGEN FÜR TEEBAUMÖL

Genaue Hinweise für den Gebrauch und Rezepte finden sich im Anhang „Anwendungen von A–Z".

Teebaumöl als Antiseptikum – am Beispiel der Haut

Die Haut ist das größte und sensibelste Organ des Menschen, das gleichzeitig unsere Abgrenzung nach außen bildet und uns so die Botschaften aus der Umwelt nach innen weitergibt. Zahlreiche Nervenenden und Sinneskörperchen nehmen die Signale und Reize von außen auf und leiten sie zum Gehirn weiter. Über das Nervensystem und die Wirkung der Botenstoffe oder Hormone besteht eine so enge Verbindung zwischen der Haut und unserer Psyche, daß die Haut auch als „Spiegelbild der Seele" bezeichnet wird. Die Umgangssprache hat diese Beziehung anschaulich eingefangen: Wie oft möchte man bei zu großen Anforderungen „aus der Haut fahren", weil etwas zu sehr „unter die Haut geht" – oder man „fühlt sich wohl in seiner Haut", weil etwas einen „nicht juckt".

Die Haut ist das größte und sensibelste Organ des Menschen und wird als „Spiegelbild der Seele" bezeichnet.

Unsere Haut hängt auch eng mit dem Immunsystem zusammen, denn sie besitzt Zellen mit der Fähigkeit, Abwehrstoffe gegen Infektionen zu bilden und zu mobilisieren. Hautleiden sind häufig Ausdruck für ein geschwächtes Immunsystem in Verbindung mit einem gestörten psychischen Gleichgewicht. Innerlich unbewältigte Probleme dringen, ja drängen aus dem Körper heraus nach außen und werden auf der Haut in Form von Akne, mehr oder

41

weniger allergischen Hautreizungen, Schuppenflechte oder Neurodermitis sichtbar.

Die Psoriasis (Schuppenflechte) wird z. B. durch eine gestörte Funktion der Hautenzyme, eine vermehrte Abschuppung der Hautzellen und eine Erweiterung der Kapillaren verursacht. Streß sowie geistige und emotionale Belastungen werden – gemeinsam mit Umwelteinflüssen, Nahrungsmittelallergien und Vitaminmangel – oftmals als ursächliche oder mitwirkende Faktoren dafür verantwortlich gemacht.

Die Wirkung von Teebaumöl auf die Haut

Das Wirkungsspektrum von Teebaumöl in Verbindung mit der Haut ist sehr groß. Lassen wir vorab eine begeisterte Anwenderin zu Wort kommen:

Bei Prellungen und bei Verbrennungen tue ich immer wieder Teebaumöl drauf. Der Schmerz läßt nach, weder bilden sich Brandblasen noch bleiben Brandwunden zurück ... Auch bei Schnittwunden oder Insektenstichen ebenso wie bei Muskelschmerzen trage ich Teebaumöl immer direkt auf. Eine Schmerzlinderung ist sofort spürbar ...
(Veronika M., 47 Jahre)

Kann man das eigentlich glauben? Die Mistel, die bei den Druiden den Beinamen *Uchelwydd* oder „All-Heil" trug, hätte um ihre unangefochtene Vorrangstellung fürchten müssen ...

Doch die Inhaltsstoffe und Wirkungsweisen von Teebaumöl sind wissenschaftlich gründlich erforscht und praktisch erprobt.

Es wirkt
❀ antiseptisch und bakterizid
❀ reinigend und desinfizierend.

Es hat die Eigenschaft,
❀ tief in die Poren und das Gewebe einzudringen
❀ nicht hautreizend und
❀ nicht schädigend für Gewebezellen zu sein.

Außerdem besitzt es
❀ einen fast neutralen pH-Wert
❀ einen frischen Geruch
❀ gute pflegende Eigenschaften.

Die Behandlung von Hautleiden

Im Vergleich zu anderen desinfizierenden und keimtöten-
den Mitteln ist Teebaumöl zwar sehr wirksam, aber durch
seinen niedrigen Cineolgehalt gut verträglich. Das gesunde Gewebe wird ge-
schont, und die Haut trocknet nicht aus.
Reizungen treten nicht auf – nur bei den
Augen wird zu allergrößter Vorsicht geraten! Teebaumöl hat die Fähigkeit, unter die Hautoberfläche in tieferliegende
Gewebeschichten einzudringen, wo es
Eiterherde auflösen kann und eine entzündungshemmende Wirkung hat. Dabei greift es den Infektionsherd an und wirkt wie ein Lösungsmittel, dem es
gelingt, die Eiterablagerungen zu zersetzen.

Teebaumöl dringt in tiefere Gewebe-schichten ein, wo es Eiterherde auflöst und eine entzün-dungshemmende Wirkung hat.

Bei Abszessen und Furunkeln wird das schnellere Ver-
heilen des Eiterherdes durch die keimtötende Wirkung auf
den bakteriellen Erreger *Staphylokokkus aureus* erklärt.
Durch die Verwendung von Teebaumöl (entweder pur oder
mit einer verdünnten Emulsion) kann in den meisten Fällen verhindert werden, daß ein Furunkel chirurgisch geöffnet werden muß.

Bei Akne und Seborrhoe, Dermatitis, Hautekzemen und
-flechten, Psoriasis, Neurodermitis, bei allergischen und
anderen juckenden Hautreizungen, ja selbst bei Windpok-
ken (und natürlich auch bei Insektenstichen, siehe dazu

weiter unten) wird der oft nur schwer erträgliche Juckreiz durch Teebaumöl gelindert und der Heilungsprozeß gefördert. Am besten probiert man jedoch vor einer großflächigen Anwendung an einer kleinen Stelle aus, ob man nicht auch auf Teebaumöl allergisch reagiert oder es zumindest verdünnen sollte. Man kann auch einige Tropfen Teebaumöl in das warme Waschwasser geben sowie den eigenen Hautpflegeprodukten zusetzen.

Ebenso gibt es eine im Handel erhältliche Teebaumseife und eine nichtfettende antiseptische Hautcreme oder Feuchtigkeitslotion.

Oft verschwinden Warzen, auch die besonders lästigen Dornwarzen auf der Fußsohle, durch regelmäßiges Beträufeln mit Teebaumöl – und mit viel Geduld!

Teebaumöl läßt sich auch bei Herpes verwenden, einem durch Viren verursachten infektiösen Bläschenausschlag, der sich über den ganzen Körper ausbreiten und für andere ansteckend sein kann. Die meisten antiseptischen Mittel sind hierfür zu scharf und reizen die ohnehin schon empfindliche Haut nur noch mehr. Teebaumöl, direkt aufgetragen, trocknet den Infektionsherd aus, verhindert seine Ausbreitung und die Bildung neuer Bläschen und unterstützt somit den Heilungsprozeß. Auch bei Herpes an den Genitalien und der verwandten Gürtelrose kann verdünntes Teebaumöl, mit der nötigen Vorsicht und begleitend zur ärztlichen Behandlung, verwendet werden, z. B. als Zusatz zum Badewasser.

Bei vielen Hautentzündungen lindert Teebaumöl den Juckreiz und fördert den Heilungsprozeß.

Die Wundbehandlung der Haut

Bei Hautabschürfungen, Schnittwunden, Prellungen etc. hat Teebaumöl eine schonende desinfizierende Wirkung, tötet schädliche Bakterien ab und beschleunigt die Heilung. Durch die bereits erwähnte Eigenschaft, in tiefere Gewebeschichten einzudringen und Eiterherde aufzulösen, wird

44

die Oberfläche von infizierten Wunden so gründlich gesäubert, daß sich die keimtötende Wirkung von Teebaumöl noch besser entfalten kann. Auch tiefersitzende Schmutzpartikel werden gelockert und können abgestoßen werden. Weiterhin kräftigt und intensiviert Teebaumöl den Blutfluß in den Haargefäßen, so daß frisches heilendes Blut zu der Wundstelle gelangt und sie mit Sauerstoff, Nährstoffen und entzündungshemmenden weißen Blutkörperchen versorgt.

In Australien wurde eine geriatrische Studie an den Beinen älterer Patienten mit Diabetes oder anderen Alterskrankheiten durchgeführt. Durch die Behandlung mit Teebaumöl wurden trockene Hautpartien weicher und Hautrisse heilten ohne Vernarbungen ab, was sowohl die bakteriziden als auch pflegenden Eigenschaften der Inhaltsstoffe belegt. Dies gilt um so mehr, da die Haut bei älteren Menschen wesentlich empfindlicher als bei jüngeren ist und sich viel langsamer regeneriert.

Auch bei Verbrennungen und Sonnenbrand können die betroffenen Hautstellen direkt mit Teebaumöl beträufelt oder mit einer antiseptischen fettfreien Teebaumsalbe eingecremt werden. Dies mildert den Schmerz, stoppt die Brandblasen- oder Bläschenbildung und schützt vor möglicher weiterer Entzündung. Bei größeren Hautpartien können hier auch Kompressen aufgelegt werden. Für diese Art der Anwendung sollte die Teebaumessenz

Für die Behandlung von Brandwunden wird die Teebaumessenz nicht mit einem Öl, sondern mit Wasser verdünnt.

nicht mit einem Öl, sondern mit Wasser verdünnt werden: 5 ml Teebaumöl (evtl. auch mit Beigabe von Lavendelöl) auf 1 l Wasser.

Teebaumöl bei Pilzinfektionen

Viele Pilze sind für den Menschen von Nutzen, leben in einer Art „Symbiose" mit ihm und halten das Gleichgewicht zwischen seinem Organismus und den unzähligen Mikroorganismen aufrecht. Unter bestimmten Voraussetzungen

45

können jedoch manche von ihnen überhand nehmen, sich im gesamten Körper verbreiten und das Immunsystem schwächen. Pathogene Hefepilze, vor allem *Candida albicans*, greifen Haut, Schleimhaut (Scheide) und Nagelbett an und können sogar innere Organe befallen. Diese zu Recht gefürchteten Hefepilze sind hochgradig infektiös und machen eine hochkarätige antiseptische Behandlung erforderlich, ohne das bereits angegriffene Haut- oder Schleimhautgewebe noch weiter zu reizen. Im Unterschied zu den meisten anderen ätherischen Ölen ist Teebaumöl, bei richtiger Verdünnung und Anwendung, selbst im Genitalbereich zu benutzen.

Als fungizides (pilztötendes) Mittel mit rein äußerlicher Anwendung hat Teebaumöl die folgenden Vorzüge:

❀ Es ist gut hautverträglich und fast nie hautreizend; selbst in der Verdünnung besitzt es noch eine große Wirksamkeit.

❀ Durch das tiefe Eindringen in Gewebe und Schleimhäute bekämpft es das Übel an der Wurzel.

❀ Es wirkt allgemein antiseptisch – als „Breitband-Antibiotikum".

❀ Durch seine vielfältigen Wirkstoffe gelingt es auch den geschicktesten und anpassungsfähigsten Krankheitserregern nicht, dagegen resistent zu werden.

❀ Es hat keine Nebenwirkungen.

Als fungizides Mittel hat Teebaumöl, äußerlich angewendet, viele Vorzüge – und keine Nebenwirkungen.

Bei *Fußpilz* kann sich Teebaumöl – sowohl unverdünnt als auch mit Hautöl vermischt oder als wasserverdünnte 40%ige Mischung – als sehr wirksam erweisen. Notwendig dafür ist eine regelmäßige und unter Umständen langfristige Behandlung, bei der Teebaumöl 2mal täglich direkt auf die befallenen Stellen aufgetragen wird. Bei *Nagelmykose* und Paromychie (pilzbedingte Nagelbettinfektion) läßt man die befallenen Nägel 2mal täglich 5 Minuten lang in Teebaumöl weichen und massiert es dann ein.

Übrigens hilft Teebaumöl auch bei anderen Fußproblemen, wie Schweißfüßen, Hühneraugen, starker Hornhautbildung etc.

Bei einer durch Candida verursachten Pilzinfektion der Scheide kommt es zu Juckreiz, Entzündung und starkem weißlichen Ausfluß. Vaginale Entzündungen können auch durch Trichomonaden (parasitäre Einzeller) oder Bakterien ausgelöst sein; die Symptome sind ganz ähnlich. Beim Einsatz von Teebaumöl (zur Scheidenspülung oder im Sitzbad) als Breitband-Therapeutikum ist eine „Fehldiagnose" hier nicht möglich!

Nach zwei Untersuchungsreihen an Hefepilzinfektionen (Befall der Vagina mit Candida albicans) und chronischer Zystitis (Blasenentzündung) zog der französische Professor für Phytotherapie, Paul Belaiche, das begeisterte Fazit:

Wir sind sehr glücklich über die erzielten Ergebnisse ... das ätherische Öl der Melaleuca hat sich einen Platz unter den wichtigsten ätherischen Ölen erobert und sich als erstklassige Waffe der Phyto-Aromatherapie im Kampf gegen Krankheitskeime und Pilzerkrankungen erwiesen.

Teebaumöl zur Haut- und Körperpflege

Durch seine ausgeprägten antiseptischen Eigenschaften entfalten Hautcremes und andere körperpflegende Mittel, denen nur ein Anteil von 2 % Teebaumöl zugesetzt ist, schon eine bakterienhemmende Wirkung. Seifen, Shampoos, Duschgels und Lotions bekommen durch die Beigabe von Teebaumöl einen würzig frischen Duft. Die Wirkstoffe des Öls dringen tief in die Haut ein, reichern die Hautzellen mit Sauerstoff an und fördern die Regeneration der durch Umwelteinflüsse (starke Sonneneinwirkung, Trockenheit) oder Hautkrankheiten (Akne, Pilzerreger) geschädigten Haut. Das Öl ist sehr hautverträglich und verursacht – die Augen ausgenommen – keine Reizung, sondern hat eine ausgesprochen beruhigende Wirkung auf irritierte Haut. Auch das Teebaumwasser, das bei der Destillation hochwirksame wasserlösliche Bestandteile aus den Teebaumblättern aufgenommen hat und als *Hydrolat* bezeichnet wird, ist gut zur Reinigung und Tonisierung der Haut verwendbar.

Teebaumöl läßt sich leicht tropfenweise in Haarshampoos, Duschgel, flüssige Seife, Hautöl etc. untermischen. Es gibt jedoch auch eine ganze Reihe im Handel erhältliche gebrauchsfertige Hautpflegeprodukte.

Teebaum-Seife ist sehr hautfreundlich und gut bei Hautunreinheiten, Ekzemen, Ausschlägen und Pilzinfektionen zu verwenden. Durch ihren hohen Siedepunkt büßt die Essenz bei Vermischung mit der Seifenmasse ihre heilenden Eigenschaften nicht ein. Obwohl sie nicht hautreizend ist, hat sie eine ungleich stärkere keimtötende Wirkung als z.B. keimtötende Seifen auf Karbolsäurebasis. Es gibt auch *Duschgels* mit Zusatz von Teebaumöl.

Teebaum-Hautcreme auf Wasserbasis mit einem Teebaumöl-Anteil von ca. 5 % hat eine sanft lindernde antiseptische Wirkung und ist bei allen Hautreizungen und Hautunreinheiten leicht und direkt anwendbar.

Teebaum-Haarshampoo (mit 2 % Teebaumöl-Anteil) ist gut verträglich bei empfindlicher Kopfhaut mit Ekzemneigung, außerdem gegen Schuppenbildung und zu rasches Nachfetten der Haare sowie gegen Milchschorf bei Säuglingen. Ebenso kräftigt es das Haar und wirkt haarwuchsfördernd. *Vor* der Haarwäsche kann man zusätzlich 5 Tropfen reine Teebaumessenz in die Kopfhaut einmassieren und 5 Minuten einziehen lassen.

Zahn- und Mundpflege

Eine im Handel erhältliche *Teebaum-Zahnpasta* ist sehr wirksam gegen die plaquebildenden Bakterien, die Verursacher von Zahn- und Zahnfleischerkrankungen, und zur Vorbeugung von Karies. Außerdem kann man sich das Zahnfleisch direkt mit Teebaumöl einreiben oder einige Tropfen ins Gurgelwasser tun – mit Breitbandwirkung, wie der folgende Erfahrungsbericht zeigt:

Teebaumöl hilft bei Zahnfleischentzündung, Plaque, Karies und Mundgeruch und hat auch eine vorbeugende Wirkung.

Ich gebe beim Zähneputzen 1 Tropfen Teebaumöl auf die Zahnpasta (man kann es zum Desinfizieren auch direkt auf die Zahnbürste träufeln) ... Bei Halsweh gurgele ich mehrmals täglich mit 3–5 Tropfen Teebaumöl in 2 Schluck warmem Wasser. Das hilft ebenso bei Zahnfleischbluten. Bei Zahnfleischentzündungen reibe ich Teebaumöl direkt ins Zahnfleisch ein. Eine Besserung ist sofort spürbar ...
(Sylvia M., 22 Jahre)

Als letztes sei noch der *Teebaum-Lippenpflegestift* erwähnt, der durch den recht strengen Geschmack zugegebenermaßen etwas gewöhnungsbedürftig ist, auf den man aber bald bei jedem Wind und Wetter nicht mehr verzichten möchte. Er hilft nicht nur bei spröden rissigen Lippen und unter extremen Witterungsbedingungen, sondern schützt auch vor Entzündungsneigung und Lippenbläschen bis hin zu Herpes.

Teebaumöl in der Säuglingspflege

Teebaumöl darf hier nie unverdünnt angewendet werden.
Windelekzem wird lokal mit dem verdünnten und erwärmten Öl oder mit einer milden Teebaum-Lotion behandelt. Als zusätzliche Maßnahme können die Windeln in einer Waschlösung von ca. 4 l Wasser mit 20 Tropfen Teebaumöl eingeweicht werden. Bei der sehr häufig im Zusammenhang mit Windelausschlag auftretenden Pilzerkrankung *Soor*, die sich meistens als Infektion der Mundhöhle äußert, ist aus

geschmacklichen Gründen Teebaumöl nur ganz stark verdünnt zum Auspinseln zu verwenden.

Bei *Milchschorf* auf der Kopfhaut werden 5 Tropfen Teebaumöl im Verhältnis 1:10 mit einem sanften, möglichst kaltpreßten Hautöl (Mandel) in die Kopfhaut einmassiert. Einige Minuten einwirken lassen und gut nachspülen. Auch Teebaum-Shampoo kann bei sehr vorsichtiger Anwendung benutzt werden.

Teebaumöl im Haushalt

Teebaumöl ist sehr gut geeignet für die Desinfizierung von Räumen, vor allem auch von Krankenzimmern. Hierfür bieten sich die Varietäten mit hohem Cineol-Gehalt an. Dies ist ein guter Ersatz für scharfe Chemikalien und zudem geruchsbindend. Zur gründlichen Reinigung, z. B. auch bei Hausstaubmilben, gibt man 20 – 40 Tropfen Teebaumöl ins Wischwasser; dies hält außerdem Insekten fern. Mit derselben Wirkung läßt sich Teebaumöl in der Duftlampe verbrennen. Da es pur nicht jedermanns Geschmack bzw. Geruch ist, empfiehlt sich eine Mischung mit Lavendel- und einem Zitrusöl.

Über Insekten und Insektenstiche

Als ganz und gar natürliches Abwehrmittel vertreibt Teebaumöl durch seinen Geruch unerwünschte Insekten, ohne daß die Tiere dabei unbedingt „vernichtet" werden müßten. Wie wir einleitend schon berichteten, haben wir selbst vor Jahren tatsächlich auf diese Art und Weise unsere allererste Erfahrung mit Teebaumöl gemacht: Ein Ameisenzug, der vorher jedes Jahr durch ein Küchenfenster in ein altes Haus einzog, wurde durch ein paar Tropfen Teebaumöl so nachhaltig gestoppt, daß in den Folgejahren allein schon das demonstrativ am Fenster placierte Fläschchen dauerhaft dafür ausreichte, die uneingeladenen Gästescharen fernzuhalten.

Wenn man sich mit Teebaumöl einreibt, hält der kräftige Geruch auch Fliegen, Mücken und andere Insekten ab. Sollte man doch einmal gestochen oder gebissen werden, kann man Teebaumöl direkt auf die Stelle auftragen. Dadurch wird der Juckreiz abgeschwächt und eine mögliche Infizierung verhindert (was ganz schnell durch Aufkratzen passieren kann – nicht nur bei Kindern!). Man kann dafür Teebaumöl pur verwenden oder 15 Tropfen Teebaumöl mit 5 Tropfen Manuka- und 10 Tropfen Lavendelöl mischen.

Teebaumöl hilft bei Insektenstichen, aber noch einfacher ist, es gleich als natürliches Mittel zur Insektenabwehr einzusetzen.

Die Teebaum-Schnitter selbst waren übrigens die ersten, die Teebaumessenz zur Abwehr von Insekten, z. B. Blutegel und Zecken, anwandten, wenn sie sich ihren Weg durch den unwegsamen australischen Busch bahnten: Sie besprühten sich nämlich ihre Strümpfe damit. Eine mit Teebaumöl beträufelte Zecke stirbt sofort ab, läßt sich mit einer Pinzette leicht entfernen, und gleichzeitig ist die Bißstelle damit desinfiziert. Auch gegen Flohbisse, Bienen und Wespenstiche kann Teebaumöl, mit etwas Hautöl vermischt, Wunder tun.

Teebaumöl in der Tierpflege

Hier läßt sich die Verwendung recht einfach aus eigener Erfahrung vom Menschen auf seine Haustiere übertragen: Bei Wunden und Verletzungen, bei Juckreiz und auch Ekzemen wird das reine Öl in die betroffene Stelle einmassiert. Bei kleinen Tieren sollte es mit einem Trägeröl vermischt werden.

Bei Flöhen mischt man dem normalen Tiershampoo einige Tropfen Teebaumöl bei oder besprüht das Fell in starker Verdünnung. Vor allem bei Katzen sollte man wenig Teebaumöl, verdünnt mit Wasser oder Öl, benutzen.

Bei Zecken empfiehlt sich die bereits beschriebene Vorgehensweise, einige Tropfen Teebaumöl direkt auf den Plagegeist zu geben, etwas zu warten und die Zecke dann mit einer Pinzette herauszudrehen. Ein paar Tropfen Teebaumöl auf die betroffene Stelle getropft, verhindert eine Entzündung und beschleunigt den Heilungsprozeß.

DIE
NEUSEELÄNDISCHEN TEEBÄUME
MANUKA UND KANUKA

Zwei ätherische Öle, die bisher weniger bekannt und (noch) schwer erhältlich sind, stammen von Teebäumen aus Neuseeland: Manuka und Kanuka. Beide zählen zwar auch zu den Myrtengewächsen, sind aber keine Melaleuca-Arten, wie der australische Tea Tree, sondern gehören zur *Leptospermum*-Gattung.

Manuka und Kanuka sind die beiden bisher noch weniger bekannten Teebaumarten aus Neuseeland.

Sie kommen häufig auf der Nordinsel Neuseelands, z. B. auf der Halbinsel Coromandel, vor und gedeihen sowohl in sumpfigen Niederungen als auch auf schneebedeckten Berggipfeln.

Gegen die Kräfte der Natur (und auch die des Menschen), gegen Insekten, Viren und Pilze haben sie ein besonders kräftiges Abwehrsystem entwickelt, vor allem in dem ätherischen Öl in vielen winzigen Drüsen an der Unterseite jedes Blattes. Diese besitzen einen hohen Anteil an *Leptospermon* – ein natürliches Antibiotikum, das als aktiver Wirkstoff sowohl im ätherischen Öl als auch im Manuka-Honig enthalten ist. Es gehört zu den Triketonen und ist seiner Struktur

Der Hauptwirkstoff Leptospermon besitzt eine starke antibakterielle Wirkung.

nach vergleichbar mit dem synthetisch hergestellten Valon, einem Antiwurmmittel, das neben insektiziden auch antibakterielle Eigenschaften besitzt. Leptospermon hat jedoch eine wesentlich stärkere synergetische Wirkung.

Zur Geschichte der (möglichen) Entdeckung

Neuseeländische Manuka- und Kanuka-Farmer beanspruchen den Namen „Tea Tree", den Captain James Cook und

Woher kommt der „echte" Teebaum? – Für Captain Cook und seine Mannschaft waren alle Bäume „Tea Trees", aus deren Blättern sie einen Tee-Ersatz aufbrühen konnten.

sein Botaniker Sir Joseph Banks ca. 1770 einer würzig schmeckenden und belebenden, zu einem Tee aufgebrühten Pflanze gaben, heute für sich bzw. ihren *echten* neuseeländischen Manuka-Teebaum. James Cook soll Manukablätter auch als Bestandteil für die Zubereitung von Bier verwendet haben, und seine Mannschaft kaute die Manukasamen gegen Diarrhoe – ein Brauch, der bis heute erhalten ist.

Welche Pflanze ist der „echte" Teebaum? – Unsere Recherchen haben ergeben, daß Captain Cook Manuka offenbar bei seiner zweiten Weltreise (1772–1775) entdeckt und als Tee getrunken hat, wie er in seinem 1777 darüber veröffentlichten Bericht schreibt. Auch deutsche Botaniker erwähnen gegen Ende des 18. Jahrhunderts zwei Formen von Cooks „Teebaum" – aus den Gattungen Melaleuca *und* Leptospermum.

Manuka

Von Manuka haben wir zuerst in Form des gleichnamigen bernsteinfarbigen Honigs gehört bzw. gekostet, auf den die Besitzerin des Naturkostladens besonders aufmerksam machte. Außer dem köstlichen Aroma, das an die besten Sorten von südeuropäischem Heide- oder Macchiahonig erinnert, wurden auch seine wunderbaren Wirkungen für die Gesundheit und die Stärkung des Immunsystems gelobt. Trotz seines kräftigen Geschmacks kommt einem zum Glück aber nie der Verdacht, kristallisiertes Teebaumöl zu verzehren ...

Die Pflanze

Der botanische Name des Manuka-Baumes ist *Leptospermum scoparium*. Er wird auch allgemein „Tea Tree" und „Red Manuka" genannt. *Manuka* ist der Name, den die Maoris ihm gaben, bei denen er schon ein traditionelles Heilmittel gegen Durchfall und für die Wundbehandlung war. Der Sud aus seinen Blättern wurde auch bei Harnwegsinfekten und fiebrigen Erkältungskrankeiten verwendet.

Manuka ist, gemeinsam mit Kanuka, auf der Nordinsel Neuseelands die am meisten verbreitete Pflanze. Die schnellwachsenden und ausgesprochen widerstandsfähigen Bäume wurden gerne zur Regeneration von weitflächigen Gebieten angepflanzt, die von den weißen Siedlern vorher durch Brandrodung „nutzbar" gemacht worden waren. Sie werden bis zu acht Meter hoch, haben kleine spitze, fast stachelige Blätter und viele weiße bis rosafarbene, herrlich duftende Blüten.

Das ätherische Öl

Das gelbliche dickflüssige Öl wird durch Wasserdampfdestillation gewonnen. Manuka-Öl ist wenig verbreitet, da die

Ausbeute bei der Destillation relativ gering ist: 1 l Öl ist der Ertrag aus 150 kg Grünmasse. Seit 1993 gibt es eine Mischung mit Öl aus Kanukablättern, das als (neuseeländisches) „Tea-Tree-Oil" bezeichnet wird. Manuka- und Kanukaöl gelten gemeinsam als ein besonders wirksames „biologisches Breitband-Antibiotikum".

Inhaltsstoffe

Obwohl Manukaöl, wie auch das australische Melaleuca-Teebaumöl, eine starke antibakterielle und keimtötende Wirkung hat, unterscheidet es sich jedoch um einiges in seiner chemischen Zusammensetzung von diesem, denn es hat einen hohen Anteil an den besonders hautfreundlichen Triketonen (z. B. Leptospermon) und an Sesquiterpenen (z. B. Cadinen), ähnlich wie im Zedernholz. Dadurch ist es sehr haut- und schleimhautverträglich und soll eine noch stärkere antimykotische Wirkung (z. B. bei Candida) als Teebaumöl haben. Aber auch hier gilt: Vor allem bei unverdünnter Anwendung immer selbst an sich ausprobieren!

Besondere Anwendungsbereiche

Durch seine ausgleichende Wirkung auf das vegetative Nervensystem ist Manukaöl auch bei Heuschnupfen und allergischen Reaktionen zu verwenden.

Red Manuka ist, wie alle Teebaumarten, zwar recht robust, aber trotzdem zart und daher besonders gut für Menschen mit einem empfindlicheren Nervengerüst geeignet, die leicht zu allergischen Reaktionen vor allem auf der Haut neigen. Manukaöl ist demnach bei schlecht abheilenden Wunden, Ekzemen, Hautreizungen und auch zu starker Sonneneinstrahlung (Ozon!) sehr gut anzuwenden. Hinzu kommen Heuschnupfen und Schleimhautreizungen, denn die Inhaltsstoffe wirken im Zusammenspiel ausgleichend auf das vegetative Nervensystem und damit auf die „allergisch" überschießenden Reaktionen.

Die starke stabilisierende Wirkung auf die Psyche erklärt sich durch den hohen Anteil an Sesquiterpenen. Dadurch wirkt das Öl als Schutz, beruhigt bei nervlicher Überspanntheit und stärkt gleichzeitig die seelischen ebenso wie die körperlichen Abwehrkräfte.

Mischung mit anderen ätherischen Ölen

In Verbindung mit Teebaumöl und Lavendel hat Manuka eine beruhigende Wirkung auf eine gereizte Kopfhaut, auch bei Ekzemneigung. Gemeinsam mit Kanuka wirkt Manuka entzündungshemmend und schmerzlindernd bei rheumatischen Beschwerden, und wenn noch Kajeput hinzukommt, wird eine optimale synergetische Wirkung bei Erkrankungen der Atemwege erreicht. Diese ätherischen Mischungen sind sowohl direkt als auch in der Duftlampe anzuwenden.

Als Ersatz für Manuka verwendet man am besten Myrrhenöl.

Manuka-Honig

Honig, ein natürliches Antibiotikum

Honig ist nicht nur ein allgemein äußerst beliebtes Nahrungsmittel, sondern besitzt durch viele Inhaltsstoffe, wie Vitamine, Mineralien und Spurenelemente, auch einen hohen Nährwert und heilende Eigenschaften. Es ist das einzig bekannte unverderbliche Nahrungsmittel und wurde schon in den meisten alten Kulturen nicht nur in Speisen, sondern auch in medizinische und kosmetische Präparate gemischt.

Honig gilt als uraltes, fast universell wirksames Allheilmittel.

Honig gilt als uraltes, fast universell wirksames Allheilmittel. Wegen seiner leicht antibiotischen Eigenschaften wurde Honig in zahllosen Arzneimitteln zur Behandlung von Rachitis, Skorbut, Anämie, Rheumatismus, Migräne und

Schwindelzuständen, Wassersucht, Verstopfung, Leber-, Magen- und Darmbeschwerden sowie bei bakterieller Gastroenteritis verwendet. Durch die Absorption von Feuchtigkeit und einen hohen Kaliumgehalt, der ein ungünstiger Nährboden für das Wachstum von Bakterien ist, findet Honig außerdem Verwendung bei Geschwüren, auch bei Wunden und Verbrennungen, die sich zu infizieren drohen, und zunehmend bei Infektionskrankheiten, vor allem der Atemwege.

Für die antibiotischen Wirkfaktoren von Honig wurde in unserem Jahrhundert der Begriff „Inhibine" geprägt. Dabei handelt es sich um antibakterielle, hitze- und lichtempfindliche Stoffe, die entweder keimvermehrungshemmend oder sogar bakterienabtötend wirken. Ihr Vorkommen wurde vor allem bei dunkelfarbigen Honigsorten festgestellt, deren Hauptquelle nicht der Blütennektar, sondern Honigtau ist, der von Bienen aus Blättern und Nadeln gesaugt wird.

Die besonderen Vorzüge von Manuka-Honig

Für die Ausbreitung von Mikroorganismen hat Honig einen zu geringen Wassergehalt und einen zu sauren pH-Wert (was bei der Verdauung im menschlichen Körper allerdings neutralisiert wird). Die antibakterielle Wirkung von Honig wird vor allem durch das Glukose-Oxidase-Enzym erklärt, das die Bildung von Wasserstoffsuperoxyd fördert. Manuka-Honig, dessen antibakterielle Aktivität zu 15–30 % der von Phenol entspricht, gehört zu den ganz seltenen Honigsorten, wo diese Wirkung nicht durch Superoxyd-Faktoren, sondern durch andere Pflanzenbestandteile zu erklären ist.

Manuka-Honig hat besondere antibakterielle Eigenschaften, wie sie ganz selten in der Natur vorkommen.

Dadurch läßt sich Manuka-Honig therapeutisch bei Infektionen aller Art verwenden, z. B. auch als „Wundverband" bei Schnitten, Verbrennungen und Geschwüren, wodurch es zu einer Hemmung in der Bakterienvermehrung kommt. Dies wurde auch bei Wunden beobachtet, wo konventionelle antibiotische und antiseptische Mittel keine Wirkung zeigten. *Staphylococcus aureus* beispielsweise, der in vielen Fällen bei Wundsepsis in Krankenhäusern beteiligt und gegen die meisten Antibiotika resistent ist, kann sehr wirksam mit der antibakteriellen Wirkung von Honig ohne Anteile von Peroxyd bekämpft werden.

Vergessen wir darüber aber nicht, daß Manuka-Honig ein außergewöhnlich markanter Honig mit intensivem Aroma ist. Übrigens ist meistens auch Kanuka darin enthalten, da die beiden neuseeländischen Teebäume oft dicht beieinander wachsen und ihr Honig sehr ähnlich ist. Wir verwenden Manuka-Honig nicht nur zur Geschmacksverbesserung von Kräutertees, sondern gern auch zur schonenden Verabreichung von „bitteren Pillen" – z. B. von Schwarzkümmelpulver.

Kanuka

Kanuka ist ein weiterer „Wunder-Teebaum" aus Neuseeland. Er ist dem Manuka zwar sehr ähnlich, hat aber besondere therapeutische Schwerpunkte.

Die Pflanze

Der botanische Name lautet *Leptospermum ericoides*, heute ist die Bezeichnung *Kunzea ericoides* gebräuchlicher. Der Baum heißt auch „White Tea Tree" oder „White Manuka", *Kanuka* ist der Maori-Name. Er ähnelt Manuka zwar sehr, wird aber größer (bis zu 15 m) und ist buschiger. Er ist übersät mit unzähligen weißen Blüten, die in Büscheln wachsen und ihm wahrscheinlich den Namen „*White* Manuka" einbrachten. Der Baum kann ein sehr hohes Alter (mehr als 150 Jahre) erreichen und immer noch jedes Jahr blühen.

Von den eingeborenen Maoris wurde Kanuka ganz besonders wegen seiner Wirkung bei rheumatischen Beschwerden und Gliederschmerzen geschätzt, wie sie in feuchtwarmen Gebieten mit starken Regenfällen und entsprechender Temperaturabkühlung häufig auftreten.

Inhaltsstoffe

Das ätherische Öl ist dünnflüssig, gelblich-grün und hat einen sehr kräftigen, etwas strengen Geruch. 80–100 kg Grünmasse ergeben bei der Wasserdampfdestillation 1 l ätherisches Öl. Es wird dann zusammen mit Manuka zum neuseeländischen „Tea-Tree-Oil" verarbeitet.

Kanukaöl hat eine ganz besondere antirheumatische Wirkung – fast einem „natürlichen Kortison" vergleichbar.

Außer den sehr hautfreundlichen Bestandteilen an Sesquiterpenen (Cadinen) und Sesquiterpenolen (Viridiflorol), die auf die Botenstoffe und damit auf das hormonelle Gleichgewicht einwirken, besitzt Kanukaöl einen ungewöhnlich hohen Anteil an Monoterpenen, was ihm auch u. a. seinen Ruf als besonders wirksames Antirheumatikum eingebracht hat.

Besondere Anwendungsbereiche

Schon die frühen Siedler verwendeten eine Abkochung mit Kanuka zur Wundbehandlung von Schnittverletzungen und Verbrennungen sowie zum Gurgeln bei Mundgeschwüren. Die Blätter wurden auch in heißes Wasser gegeben und zum Inhalieren gegen Erkältung und Husten verwendet.

Seine antibakterielle und fungizide Wirkung ist jedoch schwächer als diejenige von Teebaum und Manuka. Außer seiner schleimlösenden Wirkung bei Bronchitis und Husten sowie der Verwendung bei Hautproblemen aller Art, auch allergisch bedingten, hat Kanuka als Besonderheit die bereits erwähnte antirheumatische Wirkung, die es fast einem „natürlichen Kortison" vergleichbar macht. Durch die Anregung der Nebennierentätigkeit werden gleichzeitig entzündungshemmende und schmerzlindernde Reaktionen gefördert.

Kanuka wirkt, neben der körperlichen Ebene, auch sehr aufbauend auf die seelische Widerstandskraft und hat, besonders gemeinsam mit Manuka, einen psychisch stabilisierenden Einfluß.

In der Aromatherapie verbindet es sich gut mit Lavendel, Sandelholz und allen Zitrusölen.

Als Ersatz für Kanuka verwendet man am besten Kiefer- oder Weihrauchöl.

Aus *Die Geheimnisse des Teebaums* möchten wir abschließend über den ersten der „drei großen Heiler" zunächst Susan Drury zitieren:

„Die Grundeigenschaft des ätherischen Öls des Teebaums läßt sich auf einen einfachen Nenner bringen: Es ist eines der wunderbarsten Heilmittel, das die Natur uns zu bieten hat ...“

– und ergänzend dazu Nevill Drury:

„Teebaumöl, daran besteht kein Zweifel, ist eine Substanz, die sich auf dem Weltmarkt für natürliche Heilmittel mit Sicherheit durchsetzen und steigender Nachfrage erfreuen wird.“

Wir sind davon überzeugt, daß die beiden Australier dies richtig erkannt bzw. schon Ende der achtziger Jahre vorausgesehen haben.

Der
große Heiler

Johanniskraut

Mit dem Johanniskraut vereint uns eine sehr lange und lebendige Beziehung, die noch keinerlei Anzeichen von Rost zeigt. Die Verbindung zur Sommersonnwende, das geheimnisvolle Ritual des eigenen Sammelns zu ganz bestimmten Zeiten und das immer wieder neue Staunen über das Wunder der alchimistischen Umwandlung, wenn sich das mit den frischen Blüten angesetzte Öl in der Sonne langsam, aber sicher rubinrot färbt, haben gewiß mit dazu beigetragen, daß wir dieser „ersten Liebe" so treu geblieben sind. Und wir haben nicht schlecht gestaunt, als wir im Laufe der letzten Jahre feststellen konnten, daß Johanniskraut mit der ihm innewohnenden unaufhaltsamen Sanftheit zur antidepressiven Pflanzenmedizin Nr. 1 geworden ist! Manche anderen Anwendungsbereiche dieser vielfältigen Heilpflanze, in deren Anerkennung sich *alle* (!) medizinischen Richtungen einig sind, mögen daher verständlicherweise etwas in den Hintergrund geraten sein. Daher möchten wir diese „Basismedizin, die so nötig ist wie das Mehl zum Brotbacken", in der Fülle ihrer Möglichkeiten als großen Heiler darstellen.

Im Laufe der letzten Jahre ist Johanniskraut zur antidepressiven Pflanzenmedizin Nr. 1 geworden.

Die Pflanze

Johanniskraut gehört zur Pflanzenordnung der *Guttiferae* („Gummiträger") und zur Familie der *Hypericaceae* („Johanniskraut-" oder auch „Hartheugewächse"), von denen die Gattung *Hypericum* etwa 380 bisher ermittelte Arten umfaßt. Etwa ein Drittel von diesen besitzt dunkle Sekretbehälter, die auf das Vorkommen des Hauptwirkstoffs *Hypericin* schließen lassen. Die ganze Pflanzenfamilie weist auffallende Drüsen in den Blättern, Blüten und anderen Teilen auf, in denen ätherische Öle, Harz- und Balsamstoffe enthalten sind.

Unsere Heilpflanze Johanniskraut, *Hypericum perforatum*, ist zwar eine typisch einheimische, aber keineswegs nur auf unsere Breitengrade begrenzte Pflanze. Sie kommt in ganz Europa und sogar auf den Kanarischen Inseln, in Nordafrika und großen Teilen Asiens bis nach China, in Nord- und Südamerika, in Australien und Neuseeland vor.

Johanniskraut ist eine 30–70 cm, vereinzelt bis zu 1 m hohe, ausdauernde Pflanze, die gern in Gesellschaft wächst. Da sie das Licht liebt und an uns weitergibt, wählt sie sich entsprechende lichte und trockene Standorte, wie beispielsweise Weg- und

Johanniskraut
(Hypericum perforatum)

Waldränder, Feldraine, trockene Weiden und sonnige Hänge, und bevorzugt leichte, eher magere Böden. Bei den alten Naturheilkundigen wird ihr Wesen als „von warmer und trockener Natur und subtiler Substanz" beschrieben.

Johanniskraut hat einen ganz aufrechten Stengel, der sich nach oben verzweigt und – in der Pflanzenwelt sehr ungewöhnlich – *zwei*kantig ist. Der tief reichende, kräftige Wurzelstock ähnelt einer Spindel und ist stark verästelt. Die Blätter sind gegenständig, länglich-oval und ganzrandig. Die Blüten stehen in endständigen Scheindolden, sind von sonnenhaftem Goldgelb und zumeist fünfstrahlig (selten, wie Klee, sind sie vierstrahlig). Sie haben einen schwach balsamischen Geruch, ihren Geschmack kann man als harzig, leicht bitter und zusammenziehend beschreiben.

Die Blütezeit von Johanniskraut liegt zwischen Juni bis August, sie fällt vor allem in den Juli; in der Volksüberlieferung gilt der Johannistag, zeitgleich mit der alten Sommersonnwende am 24. Juni, als bester Sammeltag. Aus den Blüten bildet sich als Frucht eine Samenkapsel. Die Zeit der Samenreife ist im August/September; früher wurden die Samen, die Verwendung in der Volksheilkunde fanden, gerne an Mariä Himmelfahrt, dem 15. August, gesammelt.

Wenn man die Pflanze gegen das Licht hält und betrachtet, wirken ihre Blätter wie durchlöchert oder „perforiert", woher sie auch ihren Namen *Hypericum „perforatum"* hat. Diese sogenannten Löcher sind jedoch Hohlräume oder besser gesagt Drüsen, die ätherisches Öl enthalten. Auch die wie feine Lanzetten zugespitzten Kelchblätter und die Kronenblätter der Blüten weisen solche schwarzen Tupfen auf, die Blütenblätter auch dunkelviolette Längsstreifen. Beim Zerquetschen der frischen Blüten zwischen den Fingern tritt ein blutroter Saft aus. Er erhält seine Farbe durch den Hauptwirkstoff des Johanniskrautes, das *Hypericin,* aus dem sich auch die jahrtausendealte Faszination dieser ehrwürdigen Heilpflanze erklärt.

Beim Zerquetschen der Blüten tritt ein blutroter Saft aus, der seine Farbe durch den Hauptwirkstoff Hypericin erhält.

Hypericum perforatum

Während sich die Bezeichnung „Johanniskraut" aus der christlich geprägten, legendären Überlieferung und Volksmedizin ableitet und sich auch die Bedeutung des Namensbestandteils *perforatum*, der erstmals im Mittelalter aus einer Drogenliste der berühmten medizinischen Fakultät von Salerno belegt ist, leicht aus der Natur erklären läßt, ist die Auslegung des Namens *Hypericum* um

66

einiges vieldeutiger. Diese Bezeichnung stammt bereits aus der Antike und ist bei den römischen Autoren angegeben. Bei den Griechen lautet sie entsprechend *hyperikón* oder *hypereikon*. Spätere Autoren verzichteten manchmal auf jeden Erklärungsversuch oder fanden solche wenig überzeugenden Ableitungen wie aus *hypo* und *ereike* = „wächst unter (bzw. zwischen) dem Heidekraut". Aus

Der Name Hypericum könnte sich auf verschiedene Wirkungsebenen von Johanniskraut beziehen, die über jedes Bild und alle Vorstellungen hinausgehen.

hyper = „über" und *eikon* = „Bild" bot sich uns dagegen eine Fülle von Deutungsmöglichkeiten an, beispielsweise

❀ die botanische: Durch die hellen Sekretbehälter in den Blättern der Pflanze ist ein Bild (jenseits der persönlichen Vorstellung) zu sehen

❀ die medizinische: Die Pflanze besitzt eine über jedes Bild (also jede Vorstellung) hinausgehende Heilkraft

❀ die seelisch-religiöse: Die Pflanze vermittelt Erfahrungen, die jedes Bild übertreffen, also unvorstellbar sind, und die sich auf das Unterbewußte beziehen, was auch mit der Welt der bösen Geister und inneren Dämonen in Verbindung steht, die Johanniskraut nach altem Glauben in die Flucht schlagen soll.

Wir neigen persönlich am ehesten der Deutung zu, daß es sich bei den *Hypericum*-Arten um eine Gattung von Pflanzen handelt, von denen zumindest einige seit der Antike *über Bildnissen* von Gottheiten aufgehangen wurden, um böse Geister zu vertreiben. Daß dies offenbar bis heute noch funktioniert, zeigt der Erfahrungsbericht einer Freundin, deren Lieblingspflanze das Johanniskraut ist:

Unsere Vorfahren benutzten das Johanniskraut auch gegen „böse Geister". Von dieser Wirkung des sonnigen Krautes konnte ich mich selbst überzeugen. Eines Tages starrte unsere Tochter, damals 1 ½ Jahre alt, mit angsterfülltem Gesicht scheinbar ins Leere. Mit Schrekken bemerkte ich, daß eine überdimensionale Wesenheit mit durchbohrend kaltem Blick zwischen uns stand. Die Atmosphäre war sehr unangenehm und beklemmend. Auch Freunde, die gerade zu Besuch waren, empfanden eine Art „Gruseln". Nachdem uns dieses Wesen von nun an regelmäßig jeden Tag durch seine unangenehme Ausstrahlung belästigte und unsere Tochter sich nachts immer und immer wieder quälte, was wir an ihren Angstschreien hörten, versuchten wir, der unheimlichen Stimmung mit Johanniskraut in der folgenden Weise entgegenzutreten:

*Mit Johanniskraut und Salbei (etwa im Verhältnis 2:1 gemischt) wurde mehrfach das ganze Haus ausgeräuchert. Außerdem hängten wir in fast jedem Zimmer einen dicken Strauß aus Johanniskräutern auf. Der Erfolg war geradezu einzigartig: Wir hatten fortan Ruhe vor dieser Gestalt, die uns schon durch ihre bloße Anwesenheit größtes Unbehagen eingeflößt hatte! Vielleicht noch eine Anmerkung dazu: Die Wirkung geht mit dem Trokkenvorgang **nicht** verloren. Man kann also auch im Winter durch schöne Trockensträuße oder -kränze aus Johanniskraut die „bösen Geister" vertreiben ...*

Hypericum-Arten – eine große Verwandtschaft

In Deutschland gibt es etwa ein Dutzend hauptsächlich vorkommende Johanniskraut-Arten (auf der ganzen Welt dagegen mehrere hundert). Außer dem uns hier speziell interessierenden *Hypericum perforatum* oder Tüpfel-Johanniskraut gibt es das Gefleckte Johanniskraut (*Hypericum maculatum*), das nach seinem vierkantigen Stengel aber auch *Hypericum quadrangulum* genannt wird; das Flügel-Johanniskraut (*H. tetrapterum*) und das Niederliegende Johanniskraut (*H. humifusum*); nach männlichen Merkmalen das Behaarte (*H. hirsutum*) oder Bart-Johanniskraut (*H. barbatum*); nach weiblichen Merkmalen das Schöne (*H. pulchrum*) oder Zierliche Johanniskraut (*H. elegans)*; nach dem bevorzugten Standort das Sumpf-Johanniskraut (*H. elodes*) und das Berg-Johanniskraut (*H. montanum*). Selbst von dem Tüpfel-Johanniskraut gibt es eine schmal- und eine großblättrige Sorte (*H. perf. sp. angustifolium + latifolium*) sowie die Unterart *Hypericum veronese*.

Da mag es leicht einmal vorkommen, daß sich der selbstgesammelte Johanniskrauttee in der Tasse oder die in Öl angesetzten und in die Sonne gestellten Blüten nicht rötlich färben – und die Enttäuschung *Es gibt deutliche Erkennungsmerkmale für das echte Hypericum perforatum.* ist dann groß ... Zum Glück gibt es für das Sammeln mehrere Kriterien zur Unterscheidung, so daß sich mit geübtem Blick und Fingerspitzengefühl das *Echte* Johanniskraut herausfinden läßt:

❀ Es bevorzugt allgemein einen trockenen Standort.
❀ Wenn man die Pflanze gegen das Licht hält, wirken die Blätter durch die Öldrüsen „perforiert", durchlöchert.
❀ Die Blüten sind schwarz punktiert und haben zum Teil dunkelviolette Längsstreifen. Beim Zerdrücken tritt ein Saft aus, der die Finger purpurrot färbt.
❀ Das allerdeutlichste Kennzeichen ist der zweikantige Stengel, denn selbst, wenn alle anderen Merkmale zutreffen sollten, ist der Stengel bei den verwandten Arten entweder rund oder vierkantig.

Die Medizin der weisen Frauen und Männer

Eine legendäre Pflanze mit vielen Namen

Die Volksüberlieferung kennt für das Johanniskraut fast noch mehr Namen als die Botanik. Eine besondere Bedeutung kommt dabei dem Johannistag zu, dem Tag der Sommersonnwende oder höchsten Sonnenstand des Jahres, der auch als Tag der Geburt von Johannes dem Täufer gilt (er liegt übrigens genau ein halbes Jahr vor Weihnachten, dem Tag von Christi Geburt). Diese Zuordnung entspricht nicht nur dem Johanniskraut als einer Pflanze, welche die volle Sonnenkraft einfängt, sondern am Johannistag steht die Pflanze in schönster Blüte, und dieser Zeitpunkt gilt traditionell als bester Sammeltag für das „Sonnwendkraut" oder den „Sonnwendgürtel", der auch eine wichtige Rolle im Brauchtum dieses Tages spielt. Hinzu kommt die Verbindung zwischen dem roten Pflanzensaft und dem Blut, das Johannes der Täufer bei seiner Enthauptung vergossen hat, woraus sich Namen wie „Johannisblut" und „Johannisschweiß" ableiten. Das Blut-Motiv ist auch eine reiche Quelle für Namen wie „Blutkraut", „Mannsblutkraut", „Elfenblutkraut" oder „Alfblut" sowie „Christusblut".

Das Johanniskraut wird traditionell mit der Sommersonnwende am 24. Juni und der Person von Johannes dem Täufer in Verbindung gebracht.

Die Verwendung als Wundheilmittel, nach der Signaturenlehre auch aus dem blutroten Saft abgeleitet, hat natürlich ebenfalls zu manchen volkstümlichen Namen inspiriert, wie *Balm-of-Warrior*, des „Kriegers Balsam", „Wundkraut" oder „Unseres Herrgotts Wundenkraut", und der Einfachheit halber wurde dann „Herrgottskraut" oder „Gottesgnadenkraut" (engl. „Grace of God") daraus.

Die botanischen Besonderheiten der Pflanze sind ebenfalls in die Namensgebung eingeflossen, so in das „Hartheu" bzw. genauer „Tüpfel-Hartheu", was auf den harten, von den Viehbauern nicht sonderlich geschätzten Stengel der Pflanze verweist. Natürlich hat auch die Perforierung ihre Spuren hinterlassen, so im „Durchbohrten Johaniskraut", „Löcherlkraut" oder „Tausendlochkraut" (französisch „mille pertuis", italienisch „mille

Die Beziehung zum Blut und die Verwendung als Wundheilmittel hat dem Johanniskraut viele volkstümliche Namen eingebracht.

bucchi"). Mit den Löchern wird zudem der Name *Fuga daemonum* oder „Teufelsflucht" (auch Fleuch- und Jageteufel) erklärt, denn aus Wut über die wundersamen Kräfte des Krautes soll der Teufel es mit tausend Nadelstichen durchstochen haben in der Hoffnung, es dadurch zum

Zeichnung von Johanniskraut

Verdorren zu bringen – wodurch sich seine ohnehin schon legendären Heilwirkungen aber noch verstärkt haben sollen. So ist das manchmal.

Viele Volksbräuche und Vorstellungen, die wir heute in den Grenzbereich von Magie und „Aberglauben" verweisen würden, wie der Schutz vor Gewehrkugeln, Hieb- und Stichwunden, vor Gewittern und Blitzeinschlag sowie die Verwendung als Liebes- und Zukunftsorakel, haben vermutlich hier ihre Wurzeln. Spätestens seit Paracelsus werden die Dämonen nach innen verlagert und mit den „Phantasmata" oder psychischen Störungen von Melancholie bis hin zu Besessenheit gleichgesetzt. Wie wir wissen, ist Johanniskraut heute *das* Naturheilmittel *Nr. 1* für die Behandlung von depressiven Zuständen.

Für eine Reihe von weiteren Namen aus der Volksbotanik haben die medizinischen Heilwirkungen Pate gestanden, so die Bezeichnung „Nabelkraut" oder mundartlich „Liefwehbloom" wegen der Wirkung auf den Bauchbereich und das Sonnengeflecht; „Frauenkraut" oder „Liebfrauen-Bettstroh" aufgrund der besonderen Rolle, die Johanniskraut bei Frauenleiden spielt (die Namen „Mannskraft" und „Liebeskraut" sind ebenfalls überliefert); „Wald- oder Feldhopfenkraut" wegen seiner beruhigenden und den Schlaf fördernden Wirkung usw. Eine Reihe anderer Namen spiegelt sowohl das breite Anwendungsspektrum als auch die besondere Verehrung wider, die der Pflanze im Volk seit jeher entgegengebracht wurde, so „Wildgartheil" oder auch „Allheil"; im Englischen *Tutsan* oder das sehr anschauliche *Touch-and-Heal* (etwa als „Heilung durch Berührung" zu übersetzen); im Französischen schließlich wird *Toute Saine* (die „All-Gesunde") durch ein kleines, aber bezeichnendes Wortspiel zu *Toute Sainte* (die „All-Heilige"). Mit diesem Attribut wollen wir unseren kleinen Streifzug denn auch beenden.

Altbewährtes Heilkraut mit erstaunlichen Vorzügen

Eine Heilpflanze mit derart vielen anschaulichen Namen hat verständlicherweise niemals ihr Dasein als Mauerblümchen gefristet. Johanniskraut ist schon vor unserer Zeitrechnung bei den Griechen als „Cheironswurzel" erwähnt und taucht zumeist unter der Bezeichnung *hypericum* bzw. *hypereikon* bei allen einschlägigen Autoren der griechisch-römischen Antike auf dem Gebiet der Naturgeschichte und Heilkunst auf, so wie Hippokrates, Plinius und Dioskurides. Stets werden mehrere, zumeist vier Arten nach ihren botanischen Merkmalen, jedoch noch nicht nach ihrer heilkräftigen Wirkung unterschieden. Den alten Schriften zufolge sollen alle diese Arten die Hauptwirksubstanz, den roten Farbstoff Hypericin, enthalten haben; der zur damaligen Zeit sehr verbreitete Name *androsaimon*, „Mannsblut", weist auch auf die bevorzugte Verwendung als Wundmittel hin, das gleichzeitig blutstillende, keimtötende, schmerzlindernde, entzündungshemmende und heilungsfördernde Eigenschaften besitzt. Brandwunden, Quetschungen und Verstauchungen, unreine Geschwüre und alle schlecht verheilenden Wunden wurden schon damals mit dem blutroten Johanniskrautöl behandelt, das auch für Einreibungen bei Ischias und rheumatischen Schmerzen empfohlen wurde. Öl, Tee und verschiedene Tinkturen wurden als Wurmmittel und gegen Verdauungsstörungen, zur Kräftigung von Herz und Leber, für die Ausleitung der Galle und die Reinigung der Nieren, bei Lungenerkrankungen und Verschleimungen sowie als vielseitiges Frauenmittel empfohlen. Aufgrund seiner reichen Anwendungsmöglichkeiten wird das Johanniskraut von Albertus Magnus und nach ihm Konrad von Megenberg als „Königskron" gerühmt.

Eine Heilpflanze mit derart vielen anschaulichen Namen hat niemals ein Dasein als Mauerblümchen gefristet – ganz im Gegenteil.

Die Verwendung des blutroten Johanniskrautöls als vielseitiges Wundmittel ist bereits seit der Antike überliefert.

Spätestens seit Paracelsus, als dessen Lieblingspflanze das Johanniskraut gilt, wird auch seine Wirkung gegen solche geistigen Einflüsse hervorgehoben, die der berühmte Arzt und Alchimist als „Phantasmata" bezeichnet. Außer der *perforata* nennt er nur noch die Koralle als Mittel „gegen die Krankheit, daß der Mensch von einem anderen Geist regiert wird". Als „innere Dämonen" wurden in jener Epoche Schwermut und Melancholie gesehen, die wir heute zeitgeistmäßig als Depression bezeichnen. Diese Erklärung von Gemütskrankheiten ist überhaupt nicht ungewöhnlich, wie unsere Redewendung „von etwas besessen sein" erkennen läßt. In der Tradition des Orients werden böse Geister oder Dämonen auch für die Entstehung physischer Krankheiten verantwortlich gemacht. Der berühmte Sinologe Richard Wilhelm (I Ging) hat sogar die Furcht vor den Bazillen als „moderne Form des Geisterglaubens" bezeichnet (interessanterweise hat das Johanniskraut nicht nur eine antidepressive, sondern auch eine antibakterielle Wirkung).

Seit Paracelsus gilt Johanniskraut als **der** *große Heiler bei Schwermut oder Depression und allen damit verbundenen nervlichen wie körperlichen Problemen.*

In seinen *Pflanzengeheimnissen* fand Willy Schrödter nach homöopathischem Prinzip dafür die Gleichung:

Im Johanniskraut ist ein guter Geist.
Der „Johannisgeist" hilft gegen schädliche Geister (Bazillen).
Geist kämpft wider Geist.

Johanniskraut erhält ein neues Profil

Kehren wir nun wieder auf den Boden eindeutig anerkannter Tatsachen zurück und konstatieren, daß Hartheu alias Johanniskraut selbstverständlich in allen großen Pflanzen-Enzyklopädien des 16. bis 18. Jahrhunderts, von Hieronymus Bock bis Tabernaemontanus, als All-Heilmittel für äußere und innere Wunden Aufnahme gefunden hat. Die vielen Namen und Rezepte weisen auf seine Bekanntheit, Beliebtheit und reiche Anwendung beim Volk hin. Bereits zu Anfang des 19. Jahrhunderts wird es in einem Arznei-mittel-Praxisbuch jedoch als *„ehedem* sehr berühmtes Wundmittel" bezeichnet, woraus wir schließen können: Durch die Errungenschaften des technischen und medizi-nischen Fortschritts scheint selbst ein solches „Königs-kraut" – zumindest vorübergehend – Vernachlässigung erfahren zu haben. Von der Französischen bis zur Industri-ellen Revolution wurde es zunehmend weniger verwendet. Das Johanniskrautöl geriet sogar regelrecht in Verruf und wurde sogar „Placebo" genannt, da es mit Alkannin rot ge-färbt und verfälscht auf den Markt kam.

Die Forschungen vor allem über den echten roten Wirk-stoff Hypericin gingen allerdings immer weiter, denn trotz altbewährter Erfahrung mit einer solchen Heilpflanze muß sie auf den Prüfstand der Biochemie, Pharmakognosie und Schulmedizin, um zweifelsfrei zu klären, ob, warum und wie sie wirkt. Je mehr Inhaltsstoffe erforscht wurden und auch der wissenschaftliche Nachweis der Wirksamkeit gelang, um so mehr gewann das Johanniskraut wieder an Beliebtheit, so daß es spätestens in der Mitte unseres Jahrhunderts vor allem als *In unserem Jahrhun-dert wurde Johannis-kraut vor allem als Nervenmittel wieder-entdeckt und erlebt heute eine wohlver-diente Renaissance.* Nervenmittel sowie als Notfallmedizin bei Brandwunden wiederentdeckt wurde und verstärkt in den letzten Jahren eine wohlverdiente Renaissance erlebt.

Heute werden von zahlreichen Arzneimittelfirmen zahl-reiche Präparate mit Johanniskraut- bzw. Hypericin-Aus-zügen hergestellt, teilweise auch in Kombinationsmitteln. Angeboten wird das Kraut als Teedroge, in Pulverform, in flüssigen oder pulverisierten Zubereitungen in Form von Kapseln, Dragees oder Tabletten, als Injektionslösung so-wie als Frischpflanzen-Preßsaft. Johanniskrautöl gibt es flüssig oder in Salbenform zur äußerlichen Anwendung sowie als Ölkapseln zur innerlichen Einnahme. *Herba*

Hyperici ist im gültigen Deutschen Arzneibuch (DAB 9) und Deutschen Arzneimittel-Codex (DAC 1986/1995) mit einer Monographie (Kommentar) der speziell für Phytopharmaka zuständigen Kommission E und Standardzulassung vertreten. Das eigentlich Verblüffende daran ist nun weniger die große Nachfrage und Verbreitung dieses Wund- und Seelenbalsams als die Tatsache, daß sich Naturheilkunde und Schulmedizin, Phyto- und Psychotherapeuten, genervte ältere Damen und junge Kräuterhexen selten einmal in solcher Eintracht die Hände reichen wie in diesem Fall. Wird man da nicht neugierig auf die Inhaltsstoffe dieser Pflanze, die solche Wunder bewirken können?

Inhalts- und Wirkstoffe im Johanniskraut

Für die alte Erfahrungsheilkunde und Volksmedizin besaß der Grundsatz *„Wer (oder was) heilt, hat recht"* Gültigkeit, und die Frage, ob eine Heilpflanze als Arznei oder Gift wirke, wurde nach Paracelsus mit dem Hinweis auf die richtige Dosierung beantwortet.

Die Natur als große Lehrmeisterin liefert keine isolierten „Monodrogen", sondern Stoffgemische, die wir heute mit dem modernen Begriff „Komplexmittel" bezeichnen. Heute werden auch an rein pflanzliche Arzneimittel nicht nur dieselben Anforderungen für den „Nachweis von Qualität, Wirksamkeit und Unbedenklichkeit" wie an chemisch-synthetische Medikamente gestellt, sondern man ist auch kräftig bemüht, einzelnen Wirkstoffen, wenn nicht gar *dem* Wirkstoff, auf die Spur zu kommen – ein nicht gerade einfaches und oft auch unbefriedigendes Unterfangen, denn bekanntlich ist ja das Ganze mehr als die Summe seiner Teile, woraus folgt: Ein Komplexmittel hat mehr als nur eine komplexe Wirkung,

Wie alle Heilpflanzen wirkt Johanniskraut als Komplexmittel, das heute in Einzelsubstanzen zerlegt und untersucht wird.

sondern diese potenziert sich noch durch den „Synergie-Effekt" vielfältiger und unterschiedlicher Inhaltsstoffe.

Für den wissenschaftlichen Nachweis seiner Wirksamkeit wird das Stoffgemisch aus dem Gesamtextrakt einer Pflanze mittels Dünnschicht-Chromatographie (DC) in seine einzelnen Bestandteile zerlegt. Dabei durchläuft der Pflanzenextrakt eine Trennsäule, wobei die in jeder Farbschicht enthaltenen Substanzen immer weiter voneinander getrennt werden. Anhand der Mischungen weniger Bestandteile, die man schließlich erhält, wird dann mittels Versuchen überprüft, welcher *einzelne* Inhaltsstoff der *ganzen* Pflanze in ihrer Wirkung am nächsten kommt.

Fast unglaublich: Bei recht vielen Heilpflanzen sind derzeit die für die Wirksamkeit entscheidenden Inhaltsstoffe noch nicht oder nicht ausreichend bekannt. In solchen Fällen orientiert man sich als Qualitätsmerkmal an den für die Pflanze als charakteristisch geltenden Inhaltsstoffen, den sogenannten „Leitsubstanzen". Genau dieser paradoxe Fall ist nun auch bei Johanniskraut eingetreten: Hier steht derzeit die antidepressive Wirkung, die ja zweifelsfrei erwiesen sein dürfte, im Mittelpunkt des Interesses, doch der oder die dafür verantwortlichen Inhaltsstoffe sind nicht bekannt. Jedenfalls inzwischen nicht mehr – müßte man genauer ergänzen –, denn bis vor kurzem wurde diese Wirkung vor allem auf Hypericin zurückgeführt, das in den Fertigpräparaten auch weiterhin als „Leitsubstanz" behandelt wird.

Die Wirksamkeit von Johanniskraut steht fest, obwohl der Hauptwirkstoff noch nicht zweifelsfrei nachgewiesen werden konnte.

Obwohl wir vermuten, daß sich die Wirksamkeit von Johanniskraut als Antidepressivum aus dem synergetischen Zusammenwirken mehrerer Inhaltsstoffgruppen erklären läßt, wollen wir Hypericin jetzt trotzdem als ersten und vielleicht wichtigsten Wirkstoff des Johanniskrautes beschreiben.

Hypericin: Legende und Wirklichkeit

Zusammen mit den durchscheinenden Öldrüsen ist der aus den frischen Blüten ausgepreßte dunkelrote Saft denn auch maßgeblich an den Analogien aus der Signaturenlehre und Legendenbildung um die „Wunderpflanze" Johanniskraut beteiligt. Der geheimnisvolle rote Farbstoff im Johanniskraut, früher auch „Hypericum-Rot" genannt, wurde erstmals 1911 als *Hypericin* bezeichnet und konnte nach vielen Versuchen 1939 endlich zweifelsfrei isoliert werden. Hypericin liegt im Zellsaft gelöst vor und ist nicht nur in den Sekretbehältern der Blüten enthalten, sondern mit Ausnahme der Wurzeln sowie der Früchte nach Samenreife in allen Teilen der Pflanze.

Hypericin gehört zu den Naphtodianthronen und kommt im Johanniskraut fast immer zusammen mit verwandten Verbindungen vor, wozu vor allem das Pseudohypericin gehört. Der Gesamtgehalt der Hypericine in der Pflanze liegt zwischen 0,1–0,3 %. Hypericin und Pseudohypericin sowie andere Hypericin-Verbindungen kommen in der Pflanze wie auch in dem Fertigpräparaten aus Johanniskraut-Extrakten etwa im Verhältnis 60:40 vor.

Hypericin ist eine photosensibilisierende Substanz, die durch ihre Wirkung auf Botenstoffe im Gehirn und die Melatonin-Produktion in der Zirbeldrüse unter anderem auch gegen das durch mangelndes Licht auftretende innere Wintertief oder allgemeine depressive Verstimmungszustände zum Einsatz kommt. Damit hat Hypericin, das auch Mycoporphyrin heißt, ähnliche Wirkungen und Eigenschaften wie die körpereigenen Porphyrine, z. B. das Hämatoporphyrin, ein im Körper erzeugtes Abbauprodukt des Hämoglobins.

Aufgrund seiner photosensibilisierenden Wirkung wird bei Lichtüberempfindlichkeit zur Vorsicht beim Gebrauch von Johanneskraut geraten.

Obwohl dieser Effekt von Hypericin nur unter Mitwirkung von Tageslicht zur Geltung kommt, wird Personen mit Lichtüberempfindlichkeit zur Vorsicht beim Gebrauch von Johanniskraut geraten. Die photodynamische Wirkung entsteht unter Beteiligung von Licht und Sauerstoff durch farbsensibilisierende Photo-Oxidation von Zellkomponenten; im Extremfall kann dies zu einer Hämolyse der roten Blutkörperchen führen. Bei hellhäutigen Weidetieren, z. B. weißen Schafen, Kühen oder Pferden, wurde nämlich beobachtet, daß nach reichlichem Genuß von Johanniskraut sonnenbrandähnliche Hautreizungen, druckempfindliche Schwellungen, Entzündungen, Geschwüre und Haarausfall auftraten. Die Symptome wurden folgerichtig als „Hartheu-Krankheit", wissenschaftlich *Hypericismus* bezeichnet. Beobachtungen an Patienten haben jedoch ergeben, daß sich dies kaum auf den Menschen übertragen läßt, da sich phototoxische oder allergische Symptome nur bei hellhäutigen Menschen unter sehr starker Sonneneinstrahlung und/oder ebenso starker Überdosierung nachweisen ließen.

Johanniskraut enthält eine Reihe von äußerst wirksamen Einzelsubstanzen, die sich synergetisch zu einem unschlagbaren Komplexmittel verbinden.

Das „Antibiotikum" Hyperforin

Weiterhin sind in Johanniskraut 2–4 % Phloroglucinderivate enthalten; dazu gehört vor allem das antibakteriell wirksame *Hyperforin*, das verhältnismäßig konzentriert in den frischen Blüten, Knospen und Samenkapseln vorkommt und mit zu der antibiotischen Wirksamkeit von Johanniskrautöl als Wundheilmittel beiträgt. Hyperforin ist chemisch eng verwandt mit den Hopfenbitterstoffen Humulon und Lupulon, es dürfte auch an der beruhigenden Wirkung von Johanniskraut beteiligt sein.

Die Flavone und Bioflavonoide

Die nächste Wirkstoffgruppe im Johanniskraut sind Flavone und Bioflavonoide mit einem Anteil von 2–4 %. Hier ist hauptsächlich *Quercetin* mit seinen Glykosiden zu nennen, das zu den verbreitetsten Flavonen im Pflanzenreich zählt. Ihm wird eine hemmende Wirkung auf das Enzym Monoaminoxydase (MAO) zugeschrieben, was für den Gehirn- und Hormonstoffwechsel von großer Bedeutung ist.

Auch das Flavonoid *Kämpferol* und das Flavonoid-Glykosid *Hyperosid*, früher als gelber Farbstoff „Hyperin" oft mit Hypericin verwechselt, sowie noch weitere Flavon-Verbindungen sind an dem breiten Wirkungsspektrum des Komplexmittels Hypericum maßgeblich beteiligt.

Bei den Flavonoiden handelt es sich um Grundbestandteile von vielen natürlichen gelben Pfanzenfarbstoffen. Sie sind chemisch meistens an die Bitterstoffe (Glykoside) gebunden, doch ist ihre Wirkung noch nicht völlig geklärt. Nach den bisherigen Forschungen kommt ihnen eine große Bedeutung für das Immunsystem und die Körperabwehr zu. Sie bekämpfen bestimmte Bakterien und Viren, was sie zum Einsatz bei Infektionen empfiehlt. Manche von ihnen sind auch entzündungshemmend und wirken als Antioxidantien gegen „freie Radikale". Flavonoide haben sogar die Fähigkeit, ohne Nebenwirkungen Gefäße und Zellmembranen abzudichten und dadurch der Ausbreitung vieler Erkrankungen entgegenzuwirken. Man nennt dies Redox, das Reduktions-Oxidations-System.

Weitere Inhaltsstoffe

Johanniskraut enthält, am stärksten in den Blüten konzentriert, zwischen 4 bis zu mehr als 16 % *Gerbstoffe*. Diese sind überwiegend aus Catechin-Bausteinen aufgebaut sind. Es sind die gleichen Bausteine, die auch in Catechu- und Cola-Arten sowie im grünen Tee vorkommen. Auf sie dürfte sich in besonderem Maße die Wirkung auf das Verdauungssystem zurückführen lassen.

Außer Hypericin, Hyperosid und natürlich Chlorophyll wurde im Johanniskraut auch der Blütenfarbstoff Cyanidin nachgewiesen. *Procyanidine* kommen beispielsweise auch im Weißdorn vor und sind für ihre herzstärkende Wirkung bekannt – unterstützt durch die Flavonoide und Gerbstoffe.

Schließlich wurden noch diverse *Pflanzensäuren* im Johanniskraut nachgewiesen, darunter auch Ascorbinsäure (Vitamin C).

Das ätherische Öl

Die hellen oder dunklen Sekretbehälter in den Blättern des Johanniskrautes enthalten ein klares, zähflüssiges Sekret, ein Gemisch aus größtenteils ätherischem Öl und harzähnlichen Stoffen. Sie verleihen dem Johanniskraut die scheinbar perforierte Struktur. Der Anteil an ätherischem Öl ist aber äußerst gering (0,1–0,3 %); daher läßt es sich nicht durch übliche Verfahren destillieren, sondern muß mittels eines langwierigen Spezialverfahrens extrahiert werden. Aus diesem Grunde ist ätherisches Johanniskrautöl eine sehr teure Rarität. Wohl aus diesem Grunde wird es in der Literatur über Aromatherapie nur selten erwähnt, obwohl es sehr wirksame Inhaltsstoffe enthält, welche die Komplexwirkung von Johanniskraut sowohl verstärken als auch abrunden.

Das ätherische Öl enthält Inhaltsstoffe mit wertvollsten Eigenschaften, welche die Komplexwirkung von Johanniskraut als „Arnika der Nerven" sowohl verstärken als auch abrunden.

Das hellgelbe bis hellgrüne ätherische Öl hat einen angenehm herben Geruch mit leichter Tannenduftnote. Fast 30 chemische Verbindungen konnten bisher nachgewiesen werden, hauptsächlich Sesquiterpene, aromatische Aldehyde und Monoterpen-Alkohole, darunter Alpha- und Beta-Pinen, Limonen, Humulen, Caryophyllen, Alpha-Terpineol, Geraniol etc. Das ätherische Öl hat insbesondere krampflösende und blutstillende, entzündungshemmende und wundheilende Eigenschaften, die durch synergetisches Zusammenwirken mit den Gerbstoffen auch noch verstärkt werden. Darüber hinaus wirkt es auch auf die Schleimhäute und das Sonnengeflecht. Diese ganz spezielle Wirkstoffzusammensetzung ist maßgeblich verantwortlich für die günstige Beeinflussung posttraumatischer Prozesse und Schockzustände und hat dem Johanniskraut unter anderem zum Beinamen „Arnika der Nerven" verholfen.

> *Reines ätherisches Johanniskrautöl sollte innerlich wie äußerlich nur hochverdünnt eingesetzt werden. Ideal ist auch die Anwendung über die Duftlampe. Achtung: Immer zuerst eine Allergieprüfung!*

Johanniskraut – das Geheimnis seiner Wirkung

Soviel zu den isolierten Substanzen. Und nun zum Komplexmittel Johanniskraut. Das synergetische Zusammenwirken aller bekannten und unbekannten Inhaltsstoffe gibt dem Johanniskraut seine unverwechselbare Wirkung. Es wirkt auf das Zusammenspiel von Nervensystem und Hormonsekretion, Kreislauf und Verdauung und ist auch vor allem dann das Mittel der Wahl, wenn „das Gemüt zerbrochen am Boden liegt" – wie der Kräuterpfarrer Weidinger es bildhaft ausdrückt. Die *Gesamtheit* der Inhaltsstoffe regt die Drüsen der Verdauungsorgane und die Galle an, wirkt ausgleichend auf das innersekretorische Hormondrüsensystem und regt auch

Eine gute Johanniskrauternte ist Balsam für Körper und Seele

den Kreislauf an. Johanniskraut gilt als *das* nervlich-seelische Aufbaumittel. Es hat zwar auch eine leicht beruhigende Wirkung auf Körper und Geist, was auf der ganz besonderen Mischung von entspannender und aktivierender Wirkung beruht, aber es macht nicht teilnahmslos.

Johanniskraut wirkt zwar auch beruhigend, aber nicht betäubend, sondern auf eine Weise entspannend, die sogar zu mehr Aktivität führen kann.

Welche Eigenschaften hat Johanniskraut?

Hier nun die großen Johanniskraut-Pluspunkte – in Verbindung mit ihren hauptsächlichen Anwendungsmöglichkeiten:

* antibakteriell und antiviral (Wundbehandlung, Erkältungskrankheiten)
* anthelminthisch (Wurmmittel)
* innerlich und äußerlich entzündungshemmend (lokales Antiphlogistikum, Wundbehandlung, Hautpflege)
* schmerzlindernd (Wundbehandlung; Nervenschmerzen und Neuralgien)
* adstringierend und blutstillend (Wundbehandlung)
* gefäßschützend (Wundheilung, Hautpflege)
* reizmildernd (Magen; Nervensystem)
* sekretionsanregend (Magen, Darm, Leber, Galle; Drüsen und Hormone)
* menstruationsfördernd (regulierende Wirkung)
* krampflösend (Magen-Darm, Blase; Koliken)
* harntreibend (Nieren, Blase; Koliken, Steinbildung)
* schleimlösend (Erkältungen, Lungen/Bronchien, Asthma)
* beruhigend und entspannend (Nerven, Kopf und Herz; Neuralgien und Nervenschmerzen).

Als Antidepressivum en vogue

Lange Zeit war Johanniskraut fast nur noch als Rotöl mit äußerlicher Anwendung für die Wundbehandlung bekannt. Seine Wirkung als Nervenmittel und Antidepressivum mit innerlicher Anwendung wurde erst in relativ jüngster Zeit wieder-entdeckt. Daher steht dieser Aspekt im Mittelpunkt des Interesses.

Die Wirkung auf den Gehirnstoffwechsel und das Nervensystem

Heute ist wissenschaftlich erwiesen, daß bei depressiven Menschen ein gestörtes biochemisches Gleichgewicht vorliegt. Das führt dazu, daß das Gehirn einige seiner Fuktionen nicht mehr optimal ausführen kann. Dadurch können beispielsweise geistig-seelische und emotionale Störungen sowie auch körperlich sich manifestierende Symptome ausgelöst werden, die unter den Begriff „Depression" fallen.

Ein biochemisches Ungleichgewicht kann geistig-seelische Probleme und körperliche Symptome auslösen. Sie werden unter dem Begriff „Depression" zusammengefaßt.

Das menschliche Gehirn ist das feinste und komplexeste Kommunikationszentrum, das wir kennen. Hunderttausendmillionen von Gehirnzellen übertragen in jeder Sekunde Billionen von Botschaften. Diese biochemischen Überträgersubstanzen werden als Botenstoffe oder *Neurotransmitter* bezeichnet. Sind sie in angemessener Zahl vorhanden, funktioniert das Gehirn harmonisch und erzeugt, selbst bei höheren Anforderungen oder Belastungen, immer wieder das notwendige Gleichgewicht. Mangelt es an bestimmten Neurotransmittern, kann der Mensch aus seiner Mitte geworfen werden. Einerseits kann das ein Gefühl von depressiver Niedergeschlagenheit verursachen, andererseits kann ein erhöhtes Vorkommen bestimmter Substanzen zu Streßsymptomen oder manischen Erregungszuständen führen.

Dies alles, so hat Alan Watts, der bekannte New-Age-Philosoph, es formuliert, macht das Gehirn, ohne daß wir überhaupt darüber nachdenken. Doch auch wenn das Gehirn ohne unser Zutun funktioniert, können wir gegebenenfalls in ein durch den Gehirnstoffwechsel gestörtes biochemisches Gleichgewicht eingreifen. Dies ist der Ansatzpunkt sowohl für synthetische als auch für pflanzliche Antidepressiva. Johanniskraut ist eines der sanftesten Mittel dafür. Nach neuesten Forschungen setzt es an den folgenden Schaltstellen im Gehirn an:

❀ Johanniskraut wirkt auf den Botenstoff *Dopamin*, einer Vorstufe der Hormone Adrenalin und Noradrenalin. Dadurch werden Nervensignale gehemmt. Bei Übererregtheit wird folglich das psychische Gleichgewicht wiederhergestellt. Johanniskraut führt dazu, daß Dopamin erhalten bleibt und nicht in das sogenannte „Streßhormon" Noradrenalin umgewandelt wird. Durch die Einwirkung auf die für die Reizverarbeitung zuständigen Gehirnzentren kommt es zu einer gewissen Abschirmung. Die Reizüberflutung wird gestoppt und somit die geistig-seelische und körperliche Belastbarkeit erhöht.

❀ Ein anderer Ansatzpunkt ist die Wirkung auf die an der Gehirnbasis gelegene Zirbeldrüse (Epiphyse), die unter anderem die Ausschüttung des Hormons *Melatonin* reguliert. Bei Lichtmangel, beispielsweise im Winter, kann die normalerweise während des Tages verminderte Melatonin-Ausschüttung zu hoch sein, so daß der gestörte Rhythmus zu Müdigkeit und Gereiztheit bis hin zu depressiver Symptombildung führt. Dies ist bei der typischen „Winterdepression" der Fall.

❀ Eine weitere Schaltstelle im Gehirn wird von Johanniskraut und seiner Wirkung als *MAOH* beeinflußt: „MAO" steht für das Enzym Monoaminoxydase und das „H" für Hemmer. Johanniskraut wirkt hemmend auf das Enzym MAO ein, das selbst wiederum die Aktivität des Neurotransmitters *Serotonin* im Gehirn hemmt – eine Aktivität allerdings, die sich möglichst frei und ungehemmt entfalten sollte, denn: Serotonin ist eine Art „Glückshormon", das schmerzlindernde körpereigene Substanzen freisetzt und das Einschlafen fördert.

Vereinfacht ausgedrückt, wird durch Johanniskraut eine gewisse Abschirmung gegenüber Reizüberflutung und her-

Der regulierende Einfluß auf mehrere Wirkungsebenen im Gehirnstoffwechsel macht Johanniskraut zu einem wirksamen pflanzlichen Nervenmittel und Antidepressivum. abgesetzte Erregbarkeit einerseits sowie durch einen nervenstärkenden, stimmungsaufhellenden, antriebssteigernden, ja fast euphorisierenden Effekt andererseits eine psychische Stabilität erreicht, in der man Streßsituationen, geistiger Überbeanspruchung, Leistungsdruck, großen Belastungen und Angstzuständen besser gewachsen ist. Johanniskraut ist nicht nur einfach ein pflanzlicher „Tranquillizer", sondern hat bei längerer Einnahme einen lösenden Einfluß auf die gesamte Vielfalt depressiver Symptome.

Die geistig-seelische Signatur

Johanniskraut gilt als Heilmittel für äußere und innere Wunden. Seiner geistig-seelischen Wirkung kommt damit eine zentrale Bedeutung zu. Es hat die volle Kraft der Sonne an ihrem höchsten Stand im Jahr eingefangen. Das macht es zu einer *Lichtpflanze*. Mit allen Poren (den Sekretbehältern und Öldrüsen) nimmt sie die lichte Energie auf. Aufrecht und stark wächst sie in die Höhe und ist zugleich mit einem kräftigen Wurzelstock fest im Boden verankert und zudem ein ausdauerndes Gewächs.

Aus dieser Pflanzensignatur läßt sich ableiten, daß sie sehr gut zu Menschen paßt, die sich nach dem inneren Licht sehnen, aber leicht verzagen und sich sorgen, weil es ihnen an heller, sonniger Zuversicht und auch an Überlebenskraft fehlen kann. Diese Betrachtungsweise entspricht mehr der allopathischen Wirkung. Homöopathisch gesehen, können diese Menschen auch voll im äußeren Rampenlicht stehen, was auf die Dauer aber an den Nerven zehrt, so daß sie in Streß geraten und auch manchmal „die Nerven verlieren". Dazu gehören auch diejenigen, deren extensive Aktivität bisweilen zu nervösen Erschöpfungszuständen und Schlafstörungen führt. Bei ihnen kann dann eine zu niedrige Spannung der Nervenströme zu Muskelerschlaffung oder auch Verkrampfungen führen.

Ihnen allen kann Johanniskraut, mit seinen vielfältigen Anwendungsmöglichkeiten, innere Gelassenheit und wahre Stärke schenken – und nicht nur eine äußerlich aufrechte Haltung.

Johanniskraut in der Homöopathie

In der Homöopathie wird Johanniskraut, die „Arnika der Nerven", hauptsächlich mit der Wirkungsrichtung peripheres und zentrales Nervensystem eingesetzt.

Der Beiname „Arnika der Nerven" für Johanniskraut wird vor allem im Bereich der Homöopathie verwendet.

Urtinktur und D1:
❀ äußerlich zur Unterstützung der Wundbehandlung, vor allem bei gleichzeitiger Verletzung der Nervenenden; auch bei offenen Wunden und Hämorrhoiden
❀ bei Nervenentzündungen, Nervenschädigungen durch Trauma und traumatischen Neurosen
❀ wird unterstützt durch innerliche Einnahme von niedrigen bis mittleren Potenzen

mittlere Potenzen (D6):
❀ innerlich zur Nervenberuhigung, leichtes Schlafmittel oder gegen Schläfrigkeit und mildes Antidepressivum; gegen Angstzustände, Unsicherheit und Lampenfieber
❀ anämische Zustände mit Scheitelkopfweh und Zirkulationsstörungen
❀ bei Taubheitsgefühl nach Nervenverletzungen, posttraumatischen Prozessen; bei Gehirn- und Rückenmarkserschütterung
❀ bei Blasenkrampf, Hämorrhoidalblutungen; Scheidenentzündung und entzündlichen Zuständen der Gebärmutterschleimhaut; ferner bei

❀ Kongestionszuständen z. B. in Gehirn, Herz, Lunge
❀ asthmatischen Beklemmungszuständen
❀ Schwindelerscheinungen durch Gleichgewichtsstörungen

höhere Potenzen:
❀ eher selten, nur bei langwierigen chronischen Störungen mit eindeutigen Leitsymptomen.

Neueste Forschungsansätze

Seitdem Johanniskraut in den Mittelpunkt des Interesses gerückt ist und nach seinem antidepressiven Hauptwirkstoff gefahndet wird, haben umfangreiche Studien und Forschungsversuche noch die nachfolgenden neuen Wirkungs- und Anwendungsmöglichkeiten eröffnet:

❀ Hemmung des Wachstums von Retroviren, z. B. HIV-Viren (AIDS) und FV-Viren (Leukämie)
❀ Hemmung von bestimmten Formen von Tumorenwachstum (z. B. Gehirntumore) durch Zellregulierung (Redox)
❀ Hemmung des Hepatitis-C-Virus (HCV)
❀ Sterilisierung von Spenderblut bei Bluttransfusionen sowie
❀ Magengeschwüre, Hautkrankheiten und rheumatische Arthritis.

Anwendungsempfehlungen

Im Unterschied zu verschreibungspflichtigen Psychopharmaka und Antidepressiva treten bei Johanniskraut ausgesprochen selten Nebenwirkungen auf, die nach dem Absetzen sofort wieder verschwinden. In ausgesprochen wenigen Fällen – und dann zumeist bei Überdosierungen – kann es zu Magen-Darm-Reaktionen oder allergischen Symptomen kommen. Dazu zählen in erster Linie sonnenbrandähnliche Entzündungen der Haut. Sie muß allerdings stärkerer Sonneneinstrahlung (Vorsicht: Solarium!) ausgesetzt sein, und fast nur hellhäutige Personen mit einer Lichtüberempfindlichkeit sind davon betroffen. Gerade der photosensibilierende Effekt über die Haut bewirkt jedoch die bessere Lichtausnutzung und beeinflußt damit den Serotonin- und Melatonin-Stoffwechsel. Der bereits erwähnte *Hypericismus* bei hellhäutigen Tieren kommt beim Menschen in dieser Form nicht vor – nicht einmal bei der Verabreichung von Hypericum-Injektionen. Natürlich sollte man sich nach einer Johanniskrautöl-Balsamierung nicht auch noch in der Sonne rösten!

❀ Johanniskraut verträgt sich mit allen anderen Medikamenten (mit der möglichen Ausnahme von MAO-Hemmern).

❀ Um eine anhaltende stimmungsaufhellende Wirkung zu erreichen, ist eine längere Einnahme von mindestens 4–6 Wochen bis zu einem Zeitraum von 2–3 Monaten notwendig.

❀ Zur Verstärkung des Wirkungsimpulses können anfangs Injektionen (Hyperforat) empfehlenswert sein.

Auf die richtige Dosis kommt es an

❀ *Kapseln oder Tropfen*
3mal täglich bis zu 30 Tropfen oder 2 Kapseln; nach 14 Tagen auf 2mal täglich 20 Tropfen oder 1 Kapsel reduzieren

❀ *Frischer Pflanzen-Preßsaft*
3mal täglich 1–2 Eßlöffel, evtl. verdünnt; nach 14 Tagen morgens und abends je 1 Eßlöffel

❀ *Johanniskrautöl (bei innerlicher Einnahme)*
2–3mal täglich 1 Teelöffel, evtl. verdünnt

❀ *Johanniskrauttee als Single-Droge*
täglich ca. 3 Tassen; in geschmacklich und heilkräftig zusammengestellten Mischungen nahezu unbegrenzt

Die eigene Zubereitung von Johanniskrautöl

Viele unserer Freundinnen und Bekannten und natürlich auch wir stellen jedes Jahr unser frisches Johanniskrautöl mit großer Begeisterung selbst her. Nach alter Überlieferung gibt es besonders geeignete Sammelzeiten, natürlich den Johannistag selbst (24. Juni), vor dem Morgentau oder um 12 Uhr mittags; auch ein paar Tage vor oder nach dem nächstliegenden Vollmond sowie Blütentage, an denen der Mond in einem Luftzeichen steht, werden genannt. Man muß in jedem Fall darauf achten, daß man ganz trockene Pflanzen sammelt (damit das Öl später nicht schimmelt), am besten in möglichst unberührter Natur. Damit sich das Öl unter Sonneneinwirkung auch wirklich auf geradezu magische Weise rubinrot färbt, sollte man auf Seite 69 nachlesen, an welchen Merkmalen sich nun das echte *Hypericum perforatum* ganz eindeutig zu erkennen gibt. Von den noch ganz frischen Pflanzen werden die Blüten und Knospen abgezupft und in einem weithalsigen Weißglasgefäß mit einem beliebigen kaltgepreßten Öl angesetzt. Die Pflanzenteile müssen völlig bedeckt sein. Die Menge sollte man nach einem Jahresbedarf bestimmen. Für die weiteren Schritte kann man sich eine der folgenden Variationen aussuchen:

Schon mit wenig Erfahrung, aber großer Begeisterung läßt sich jedes Jahr frisches Johanniskrautöl aus selbstgesammelten Blüten herstellen.

Johanniskraut wird ganz frisch nach der Ernte weiterverarbeitet

90

- das Glasgefäß luftdurchlässig mit einem Papier oder Gaze bedecken und in die Sonne stellen. Nach etwa 4–6 Wochen hat sich das Öl rubinrot gefärbt
- das Glasgefäß zunächst geöffnet 3–5 Tage an einen warmen Ort zum Gären stellen und täglich umrühren. Danach fest verschließen und in die Sonne stellen (wie oben)
- zur Erhöhung des Wirkstoffgehalts etwa nach 14 Tagen, wenn das Öl bereits rot zu werden beginnt, die Blüten auspressen und durch frisch gesammelte erneuern. Dies kann mehrmals wiederholt werden und erhöht den Wirkstoffgehalt
- nach einigen Wochen, wenn das Öl eine intensive rote Farbe hat, durch ein Tuch seihen und den Blütenrückstand mit den Händen auspressen. Das Öl nun durch vorsichtiges Dekantieren von der wässrigen Schicht und dem Bodensatz aus feinen Blütenstäubchen trennen
- in kleine (30–50ml) lichtundurchlässige Fläschchen füllen und an einem dunklen Ort aufbewahren.

Für die Zubereitung von Johanniskrautöl als klassischem *Wundöl* wird in der Literatur meist die Verwendung von kaltgepreßtem Olivenöl genannt; für eine längere Haltbarkeit mischen wir dieses auch gern mit einem guten Distelöl. Sonnenblumenöl ist weniger empfehlenswert, da es zu leicht ranzig werden kann. Für bestimmte Verwendungszwecke lassen sich auch kleinere Mengen mit eigens dafür ausgewählten Ölsorten ansetzen,

Ein besonderes Erlebnis: aus gelben Blüten wird rubinrotes Heilöl

die sich mit Johanniskraut zu einer verstärkten „Synergie-
wirkung" verbinden. Hier einige Beispiele:

❀ *Leinöl* speziell für die Verwendung bei Verbrennungen
❀ *Weizenkeimöl* für die Hautpflege
❀ *Kürbiskernöl* bei Blasenleiden und Bettnässen
❀ *Schwarzkümmelöl* bei Magenbeschwerden
❀ *Sesamöl* als konzentrierte Nervennahrung
❀ *Hanföl* bei Muskel- und Gelenkschmerzen sowie bei Gal-
lenbeschwerden

und sicher noch manch andere passende Kombinationen
– je nach Erfahrung und abhängig von den Wirkungen, die
man erreichen möchte.

DIE BESTEN ANWENDUNGEN FÜR JOHANNISKRAUT

Genaue Hinweise für den Gebrauch und Rezepte finden sich im Anhang „Anwendungen von A–Z".

Die äußerliche Anwendung

Johanniskraut steht in enger Beziehung zur Haut – nicht nur deshalb, weil diese als „Spiegel der Seele" gilt, sondern über sie entfaltet es auch seine lichtsensibilisierende Wirkung. Viele seiner Eigenschaften sind hervorragend für die Behandlung von Wunden, bei Hautleiden und zur Hautpflege geeignet, denn es wirkt antibakteriell, blutstillend, schmerzlindernd, entzündungshemmend, adstringierend, gewebeschützend und regenerierend. Vor allem Johanniskrautöl sowie Tinkturen, Salben und Extrakte in Hautpflegemitteln werden für den äußerlichen Gebrauch verwendet und immer dann durch die innerliche Einnahme wirksam unterstützt, wenn das Nervensystem in irgendeiner Form mitbeteiligt ist.

Erste Hilfe bei Wunden

Besonders in der Form von Öl hat Johanniskraut eine hochgradig antibakterielle Wirkung, die z. B. auf *Staphylococcus aureus* noch in stärkster Verdünnung nachweisbar ist. Durch seine antiseptischen Eigenschaften verhindert es fast immer eine Eiterung. Es wirkt zusammenziehend und fördert die Regeneration verletzter Hautgewebe. Dadurch kommt

Johanniskraut ist als Wund- und Heilmittel vor allem dann bei schmerzhaften Verletzungen vielseitig einsetzbar, wenn das Nervensystem mitbeteiligt ist.

es dann meistens zu einer völlig narbenlosen Ausheilung von Wunden.

Mit Johanniskrautöl haben nicht nur wir gute Erfahrungen gemacht bei:

* ❀ Verbrennungen
* ❀ Hieb-, Stich- und Schnittwunden
* ❀ blutenden Wunden
* ❀ Blutergüssen
* ❀ Quetschungen und Prellungen

Ohne die – selbst verunreinigte – Wunde, vorher auswaschen zu müssen, wird eine dick mit Johanniskrautöl getränkte Kompresse aus Verbandmull daraufgelegt. Wichtig: Die Wunde muß immer feucht und ölig gehalten werden, damit sie nicht austrocknet. Deshalb soll die Kompresse mehrmals täglich erneuert werden.

Zur zusätzlichen Desinfizierung von Wunden kann auch die alkoholische *Johanniskrauttinktur* eingesetzt werden.

Den Ruhm seiner besonderen Wirksamkeit bei Brandwunden hat Johanniskrautöl in seiner langen Geschichte niemals verloren. Für diese Anwendung wird am besten Johanniskrautöl auf der Basis von Leinöl verwendet, das selbst schon ein Mittel gegen Verbrennungen ist und die Wirkung synergetisch vielfach verstärkt. Bei Brandwunden ist es besonders wichtig, das Öl so rasch wie möglich anzuwenden, denn dadurch erhöht sich die Chance, daß keine Narben zurückbleiben. Weitere wunderwirksame Details hat uns eine Freundin mit ihrem persönlichen Bericht mehr als bestätigt:

Johanniskraut, ein von der ganzen Familie sehr geliebtes Allheilmittel, scheint besonders gut bei Brandwunden zu helfen. Im Alter von sechs Jahren lag unser Sohn mit Verbrennungen 3. Grades auf der Intensivstation. Täglich mußte er ein Spezialbad nehmen, bei dem sich die Verbände und diverse Hautschichten lösten. Soweit es mir möglich war, träufelte ich jeden Abend Johanniskrautöl auf die Hautstellen, die nicht verbunden waren.

> *Das Ergebnis erstaunte auch die Ärzte: Die offenen Stellen verheilten viel schneller und ohne jede Narbenbildung. Für uns war das Grund genug, dem armen Kind die äußerst schmerzhaften Bäder zu ersparen und ihn weiterhin zu Hause mit Johanniskrautöl zu behandeln.*
>
> *Seitdem sind gut fünf Jahre vergangen, und von der schlimmen Verbrennung ist nichts mehr zu sehen.*

Eine sehr gute Wirkung entfaltet Johanniskraut, zusammen oder im Wechsel mit Arnika und Ringelblume, z. B. in Form von Salben oder als homöopathische Urtinktur. Hartnäckige Geschwüre, *Ulcus cruris* und schlecht verheilende Wunden mit Veränderungen des Bindegewebes sprechen besonders gut darauf an.

Durch die Verbindung zum Gehirn und Nervensystem entfaltet Johanniskraut eine besondere Wirksamkeit bei allen peripheren Nervenverletzungen. Dazu gehören auch posttraumatische und postoperative Schmerzen (Amputationsstumpfschmerzen, auch nach Lumbalpunktion und Zahnextraktion). Vor allem Verletzungen an Körperstellen, die besonders reich an Empfindungsnerven sind, wozu z. B. die Fingerspitzen, die Fußzehen und das Steißbein gehören, sprechen sehr gut auf die „Arnika der Nerven" an. Rasch läßt der Schmerz nach, die Nerven regenerieren und werden wieder „lichtdurchlässiger". Um einige Beispiele dafür zu nennen:

- ❀ gestochene, geschnittene, gequetschte oder zerrissene Wunden durch Nägel oder Splitter in den Füßen
- ❀ Dornen oder Splitter unter den Nägeln
- ❀ drückende oder hämmernde Schmerzen in Finger, Zehen oder Nagelbett
- ❀ Panaritium (eitrige Finger- und Handentzündung)
- ❀ Schlag auf den Finger mit in den Arm ausstrahlenden Schmerzen
- ❀ Stauchung der Wirbelsäule
- ❀ Bandscheibenvorfall
- ❀ Steißbeinprellung

- ❀ Nervenschmerzen sowie außerdem bei:
- ❀ Nervenentzündungen
- ❀ Neuralgien, bes. Gesichtsneuralgien wie Trigeminus und Migräne; auch Steißbeinneuralgien
- ❀ Ischias und Hexenschuß
- ❀ Lähmungserscheinungen und Taubheitsgefühle.

In allen diesen Fällen kann die Behandlung wirksam durch die innerliche Einnahme von Johanniskraut unterstützt werden. Aus eigener Erfahrung können wir besonders mittlere homöopathische Potenzen (D6) empfehlen.

Darüber hinaus läßt sich Johanniskrautöl durch seine krampflösende, entspannende und gewebetonisierende Wirkung sehr gut für Einreibungen und Massagen bei den folgenden Beschwerden verwenden:
- ❀ allgemeine Gliederschwäche
- ❀ Rückenschmerzen
- ❀ Verspannungen und Verrenkungen
- ❀ Gelenk- und Muskelschmerzen („Muskelkater")
- ❀ rheumatisch bedingte Schmerzen.

Die Pflege von kranker und gesunder Haut

Durch die Verbindung zwischen Haut und Seele entfaltet Johanniskraut sowohl heilende als auch pflegende Eigenschaften für die kranke und gesunde Haut.

Durch seine entzündungshemmenden und adstringierenden Eigenschaften sowie die Fähigkeit, das Hautgewebe zu regenerieren und zu schützen, ist Johanniskraut der ideale Balsam sowohl der gesunden als auch der hilfebedürftigen Haut. In erster Stelle stehen hierfür Johanniskrautöl, alkoholische Tinkturen oder Johanniskraut-Extrakte in Salben und auch als Bestandteile von Hautpflegepräparaten zur Verfügung.

Hinweise für die eigene Zubereitung

Beim Herstellen von Johanniskrautöl sollte für diesen Verwendungszweck ein individuell besonders hautverträgliches Öl gewählt werden. Gute Erfahrungen haben wir immer wieder mit Weizenkeim- oder Mandelöl gemacht.

Auch eine Johanniskrauttinktur läßt selbst schnell hergestellen:

Dafür läßt man frische Blüten 10–14 Tage lang in Alkohol ziehen. Auspressen, abseihen und fest verschlossen aufbewahren. Nach unserer Erfahrung ist hierfür schon ein 40–50%iger Alkohol ausreichend; bei Verwendung von hochprozentigem Alkohol (für die Extraktion bestimmter Inhaltsstoffe notwendig) sollte die Tinktur mit destilliertem Wasser entsprechend verdünnt werden.

Bei folgenden Hautleiden ist Johanniskraut zu empfehlen (bitte selbst ausprobieren, ob die fette oder alkoholische Zubereitung besser vertragen wird):

* ❀ juckende Hautausschläge, die sich durch Kälte, Nässe und bei Berührung verschlimmern
* ❀ Erythemata (entzündliche, durch Hyperämie bedingte Rötung der Haut)
* ❀ Psoriasis (Schuppenflechte)
* ❀ Herpes (Bläschenausschlag), auch Herpes zoster (Gürtelrose)
* ❀ Furunkel und Geschwüre
* ❀ Akne und Seborrhoe.

Alle, auch allergisch bedingte, Entzündungen an stark dem Licht ausgesetzten Hautstellen profitieren von dem Öl, wobei der *Sonnenbrand* zu den bemerkenswertesten Indikationen zählt:

Johanniskraut kann durch seine photosensibilisierenden Eigenschaften ja sonnenbrandähnliche Entzündungen auf

Nach dem Grundsatz „Gleiches heilt Gleiches" ist Johanniskrautöl ein vorzügliches Erste-Hilfe-Mittel bei Sonnenbrand. der Haut verursachen. Lichtempfindliche, besonders hellhäutige Personen sollten daher bei starker Lichteinwirkung, vor allem im Sommer, keine hohen Dosierungen einnehmen und sich generell nicht mit „Rotöl" eingerieben auf die Sonnenbank legen. Trotzdem: Bei Sonnenbrand kommt wieder der homöopathische Grundsatz *Gleiches heilt Gleiches* zur Anwendung, denn Johanniskrautöl wirkt dann ausgesprochen lindernd und heilend und unterstützt die Bildung schützender Hautpigmente.

Über Johanniskraut als Bestandteil von Hautpflegemitteln und Kosmetika ließe sich vermutlich ein umfangreiches Kapitel, wenn nicht ein ganzes Buch schreiben. Sehr interessant in diesem Zusammenhang ist auch die Verwendung von Johanniskraut als Bestandteil spagyrisch hergestellter Pflanzenauszüge. Zu Unreinheit, Schuppenbildung oder kleinen Rissen und Schrunden neigende, rauhe und besonders empfindliche Haut erfährt durch die Kombination der Wirkstoffe im Johanniskraut eine tiefgehende Beruhigung, die auch „Balsam für die Seele" ist.

Rezept für ein Gesichtswasser zur milden Hautreinigung (sehr gut für besonders empfindliche Haut geeignet)

Johanniskraut, Hamamelis (Virginische Zaubernuß) und Weizenkeime werden zu gleichen Teilen gemischt und im Verhältnis 1 : 4 in ein weithalsiges Glasgefäß gegeben. Bei Zimmertemperatur etwa 14 Tage am Fenster stehen lassen. Einmal täglich schütteln oder umrühren. Durchseihen (die feste Masse auspressen) und mit destilliertem Wasser auf 20 % verdünnen.

Die innerliche Anwendung

Durch seine Wirkung auf das Zusammenspiel von Nerven- und Hormonsystem, Kreislauf und Verdauung hat Johanniskraut ein ungewöhnlich breites Anwendungsspektrum.

Ebenso vielfältig sind die Arten der Darreichung, nämlich als: Tee, Preßsaft, Tinktur und Öl, Kapseln und Tropfen sowie in Form von Injektionen. Aufgrund der vielen Möglichkeiten geben wir hier nur einen Überblick. In jedem Fall ist der Anhang „Anwendungen von A–Z" sehr inspirierend.

Verdauung und Ausscheidung

Johanniskraut reguliert die Säureverhältnisse im Magen und trägt zu einer Umstimmung der Fermentbildung bei. Darüber hinaus regt es die Verdauungs- und Gallenfunktion an und fördert die Ausscheidung, so daß es u. a. bei folgenden Symptomen eingesetzt werden kann:

* Magen- und Darmbeschwerden, auch nervös bedingt
* Magen-Darm-Katarrh, Durchfälle, Blähungen und Sodbrennen
* Katarrhe der Magenschleimhaut (Magenschleimhautentzündung, Magengeschwüre)
* Anregung der Verdauungsfunktion (bei Appetitlosigkeit)
* Anregung der Leber- und Gallenfunktion
* Gallenkoliken
* Gelbsucht
* Wassersucht
* Harngrieß, Nieren- und Blasensteine, Koliken
* Erschlaffung der Muskulatur der Harnorgane
* Blasenkrampf und Enuresis.

Herz und Kreislauf

Johanniskraut wirkt über das Nervensystem ausgleichend auf die Herztätigkeit, steigert außerdem die Durchblutung

des Herzmuskels und verhindert Stauungen durch Blut-
überfülle. Daher empfiehlt sich die Einnahme bei
✿ nervösen Herzbeschwerden – Herzneurosen
✿ gestörter Blutzirkulation
✿ Kongestionszuständen in verschiedenen Organen
✿ Anämie (Anregung der Blutbildung)
✿ Wetterfühligkeit
✿ auch bei Asthma und starken Beklemmungszuständen.

Hormonsystem

Durch seine Wirkung auf den Gehirnstoffwechsel und das
innersekretorische Drüsensystem hat Johanniskraut einen
tiefgreifenden regulierenden Einfluß auf den Hormonhaushalt und ist bei vielen damit in Verbindung stehenden Beschwerden einsetzbar, darunter:

✿ hormonelle Unterfunktion – zu schwache Menstruation
  (v. a. bei anämischen jungen Frauen)
✿ krampfartige Menstruationsschmerzen
✿ Scheiden- und Gebärmutterentzündungen
✿ hormonell bedingte Kopfschmerzen/Migräne
✿ Beschwerden der Wechseljahre, u. a. Blutungen im Klimakterium und klimakterisch bedingte depressive Verstimmungszustände.

Nur nicht die Nerven verlieren ...

Etwas spannend wollten wir es schon machen und haben
uns daher sozusagen das „Sahnestück" der Anwendungsmöglichkeiten von Johanniskraut für den Schluß aufgehoben. Johanniskraut ist zweifellos eine psychotrope
Heilpflanze von großer Wirksamkeit, die jedoch nicht wie
ein Tranquillizer der Ruhigstellung dient, sondern eine tief
in das Seelenleben eingreifende, nachhaltig stimmungsaufhellende und deutlich stabilisierende Wirkung hat.

Wir dürfen dabei jedoch nicht vergessen, daß es sich um ein relativ sanftes pflanzliches „Antidepressivum" handelt, dessen Wirkung weder so rasch noch so eindeutig und intensiv eintritt wie bei synthetischen Psychopharmaka und Antidepressiva. Deshalb ist Johanniskraut auch nicht bei schweren bzw. echten endogenen Depressionen, sondern mehr bei leichten bis mittleren reaktiven und neurotischen Formen geeignet und muß über einen längeren Zeitraum eingenommen werden.

Die Depression gehört zu den oft nicht erkannten und daher am meisten unterschätzten und folglich unbehandelten Erkrankungen. Selbst wenn auffallende „negative" Leitsymptome fehlen, fühlen sich viele Menschen aus einem Mangel an „positiven" Impulsen deprimiert. Daher zählt auch das als depressives Symptom, was medizinisch als *Anhedonie* bezeichnet wird und durch Lustlosigkeit, mangelnde Lebensfreude und mehr oder weniger permanente Unzufriedenheit gekennzeichnet ist.

> *Die Depression gehört zu den oft nicht erkannten und daher am meisten unterschätzten und folglich unbehandelten Erkrankungen.*

Das damit verbundene Lebensgefühl findet seinen vollkommenen Ausdruck in fast allen Filmen von Woody Allen und den zumeist von ihm selbst dargestellten Charakteren, wie der Eingangsmonolog zu seinem Film *Annie Hall*, der eigentlich, in Anlehnung an das Symptom der Annie Hall, *Anne Hedonia* heißen sollte, perfekt einfängt:

Zwei ältere Frauen machen gemeinsam Ferien in den Bergen. „Mein Gott", klagt die eine, „das Essen hier ist ja wirklich schrecklich!"

„Ja, das stimmt", bestätigt die andere, „und dann auch noch solche kleinen Portionen ..."

Dies entspreche genau seinem Lebensgefühl, kommentiert Woody Allen – und sei eine präzise Beschreibung von Anne Hedonia.

Einen Schritt weiter stoßen wir auf die *psycho-vegetative Depression*. Hierbei verbinden sich depressive Symptome mit vegetativen Störungen zu einem Krankheitsbild mit zumeist recht diffusen Beschwerden, die im Bereich des Kopfes und des Magens, der Herztätigkeit und der Atmung auftreten. Kennzeichnend dafür ist die fast paradox klingende Mischung aus Übererregbarkeit, Unruhe und Angst einerseits und scheinbar grundloser depressiver Verstimmung und Niedergeschlagenheit andererseits. In der Regel gehören auch nervöse Erschöpfungszustände und Schlafstörungen dazu.

Schlaflosigkeit ist eine regelrechte Zeitkrankheit. Durch zu starke geistige Aktivität und zu großen Energieverbrauch aufgrund von nervlicher Überbeanspruchung kommt es zu einer Überspanntheit der Nerven, so daß trotz Müdigkeit bis hin zu Erschöpfung sozusagen die notwendige Energie fehlt, um mit Gelassenheit loslassen zu können und sich dem Schlafprozeß anzuvertrauen. Johanniskraut wirkt hier durch Entspannung anregend und gibt dem Organismus eine Art „energetischen Kick", der das Nachtbewußtsein aktiviert und besser ein- und durchschlafen läßt.

> *Psycho-vegetative Symptome treten übrigens auch bereits bei Kindern auf und äußern sich hier vor allem in Form von Bettnässen und nächtlicher Angst, nervlicher Erschöpfung, Konzentrationsstörungen und Stottern.*

Depression kann praktisch in jeder Lebensphase auftreten, besonders aber in Zeiten der Wandlung, wozu die Pubertät und die Wechseljahre zählen. Zu den für das Klimakterium typischen Begleiterscheinungen gehören nicht nur körperliche Symptome, sondern auch heftige depressive Verstimmungszustände mit unerklärlicher Gereiztheit bis hin zu hysterischen Ausbrüchen, Gefühlen von Angst und Wertlosigkeit sowie Konzentrations- und Entscheidungsschwäche. Die gleichzeitige Wirkung auf das Nerven- und Hormonsystem macht das „Frauenkraut" zu einem wirklich segensreichen Mittel bei *klimakterisch bedingten Depressionen*, wie die nachfolgende Fallgeschichte verdeutlicht:

Eine 48jährige Frau litt, als sich die Wechseljahre bei ihr ankündigten, nicht nur unter plötzlichen Schweißausbrüchen und Schwindelgefühlen, sondern auch unter schweren klimakterischen Depressionen. Medizinisch war kein Befund festzustellen; die Einnahme von Hormonpräparaten lehnte sie entschieden ab.

Wegen der Schwere des Falles wurde Johanniskraut/ Hypericin hier in Form von Hyperforat-Injektionen verabreicht. Die Dosierung betrug zunächst jeden zweiten Tag 5 ml für die Dauer einer Woche, dann zweimal wöchentlich 3 ml. Diese Behandlung erwies sich bereits nach insgesamt drei Wochen als sehr wirksam. Nicht nur die körperlichen Beschwerden ließen nach; die Frau wurde auch aufgeschlossener, freundlich und ausgeglichen, und sie war wieder arbeitsfähig.

Die fumerische Dimension

Zum Schluß möchten wir noch einen Aspekt von Johanniskraut verraten, der unseres Wissens bisher nicht näher erforscht wurde. Eine Freundin hat uns die folgende wahre Geschichte anvertraut:

Es war etwa Mitte der siebziger Jahre, und in Discos und auf Parties kannte man weder Techno noch Ecstasy, sondern Rock und Gras (getrocknete Marihuanablätter) waren für all jene „in", die der chemisch-physikalischen Stimulation ihrer grauen Zellen nicht abgeneigt waren.

Ich selbst war sehr vorsichtig mit allen möglichen Rauschmitteln und hatte nur einige Male an einem unter Freunden angebotenen Joint gezogen – mehr, um die Erfahrung der anderen zu teilen und mitreden zu können. Es war zwar ein ganz nettes Erlebnis, aber keines, das ich eigentlich brauchte.

*Da hielt ich mich lieber an den Wahlspruch: „**Turned on by life is the best kind of being high** ...“*

Nun ist es aber (besonders wenn man noch unter Zwanzig, solo und, wie ich, etwas schüchtern ist) in Gesellschaft ganz angenehm, zumindest eine Zigarette sicher im Griff zu haben, während man das neue Territorium mit Blicken abtastet und nach vertrauten Ankerplätzen Ausschau hält.

Tabak war nie mein Fall – wie ich vermute, wegen meiner urgesunden körperlichen Abwehrreaktionen. Deshalb nahm ich mir hin und wieder aus einem Naturkostladen etwas Kräutertabak mit. Diese Mischungen bestanden aus den verschiedensten heimischen Pflanzen, die im getrockneten Zustand nicht nur langsam, gut und wohlriechend brannten, sondern auch noch im Ruf standen, gesund zu sein.

Als der Kräutertabak einmal aufgebraucht war, griff ich mir vor dem besagten Abend einen Teil meiner selbstgesammelten und getrockneten Johanniskräuter, zupfte die Blätter und Blüten von den harten Stengeln und verstaute sie in meinem „Tabakbeutel".

Ich rollte mir mein erstes Zigarettchen. Der Duft war großartig – viel besser als von dem gekauften Kräutertabak! Es dauerte nicht lange, und ich stellte eine Veränderung bei mir fest. Das bestimmte Gefühl von Aufgeregtheit, das bei solchen Anlässen immer mein vertrauter Partner war, verlor sich urplötzlich. Ich fühlte mich zentriert, dabei ein wenig euphorisch und vor allem sehr, sehr sicher. Über die banalsten Kleinigkeiten konnte, ja mußte ich lachen. Ich war high – unglaublich! Und zwar viel intensiver, als ich es je mit Gras erlebt hatte.

„Hey, was hast du denn da Gutes?" meinte ein Freund, der auf mich zukam. „Riecht ja stark – darf ich auch mal 'nen Zug?"

„Aber sicher", bejahte ich.

„Mann", sagte er zu mir, „nicht übel, das Zeug!"

Mit wissendem Lächeln überließ ich ihm den „Johannisjoint".

Während der folgenden Jahre habe ich mir hin und wieder ein Johannis-Zigarettchen gegönnt, wenn mir nach diesem sanften leichten Kick zumute war. Meine Freundinnen übrigens auch. Es wurde so eine Art Geheimtip in jener Zeit.

Außerdem war dies der Beginn meiner langen großen Liebe zu heimischen Kräutern und ihren geheimnisvollsten Wirkungen.

Der
große Heiler

Schwarzkümmel

N achdem wir im Bekanntenkreis gehört hatten, auf der „Hitliste" der beliebtesten Naturheilmittel sei ganz oben ein neuer Stern aufgegangen, sammelten wir unsere ersten Erfahrungen mit *Nigella sativa* vor den Gewürzregalen in vorder- und hinterasiatischen Lebensmittelläden. Rasch stellten wir fest, daß unter dem Namen „Schwarzkümmel" recht Unterschiedliches angeboten wird – manches davon bis heute nicht genau zu identifizieren ... Das erste Gewürz, das den bebilderten Beschreibungen tatsächlich in allem entsprach, war als „schwarzer Zwiebelsamen" deklariert und trug den indischen Namen *Kalonji*, doch der Zusatz *Nigelle* erwies sich als heiße Spur. Nicht von ungefähr lautet ein anderer französischer Name dafür *toute épice*, „All-Gewürz".

Schwarzkümmel ist eine alte Gewürz- und Heilpflanze mit vielfältigen Anwendungsmöglichkeiten und verschiedenen botanischen Arten.

Nun war unsere Neugier erst recht geweckt, und als wir weiter nachforschten, stellte sich Schwarzkümmel als eine äußerst interessante alte Gewürz- und Heilpflanze mit ebenso vielfältigen Anwendungsmöglichkeiten wie botanischen Arten und volkstümlichen Namen heraus.

Nigella sativa in der Pflanzschale

Die Pflanze

Der Echte Schwarzkümmel, **Nigella sativa**, ist die gebräuchliche Medizinalpflanze, die aus dem südosteuropäischen, nordafrikanischen und vorderasiatischen Raum rund um das Mittelmeer stammt. Aus den mediterranen Ländern Ägypten, Syrien und der Türkei hat sie sich über den

Irak, Pakistan und Indien bis nach China verbreitet. Bei Hildegard von Bingen ist sie als Pflanze von „warmer und trockener Qualität" beschrieben. Die einjährige Pflanze, die durch Aussaat vermehrt wird, gehört zu den Hahnenfußgewächsen (*Ranunculaceae*). Filigran wirkend, wird sie 30–50 cm hoch, hat leicht behaarte Stengel, dreifach fiederteilige Blätter und milchig-weiße, zur Spitze hin bläulich-grünliche Blüten, aus denen sich nach der Blüte die mohnähnlichen Samenkapseln entwickeln.

Die dreikantigen Samen, die Zwiebelsamen zum Verwechseln ähnlich sehen, sind schwarz; sie haben der Pflanze ihren Namen gegeben (lat. *niger* = „schwarz" bzw. *nigellus* = „schwärzlich"). Sie riechen aromatisch, eher nach Fenchel oder Anis als nach Kümmel, und erinnern auch ein wenig an Muskat oder Kampfer. Ihr Geschmack läßt sich als würzig, etwas bitter und scharf beschreiben, weshalb sie auch als Pfefferersatz dienten. Schwarzkümmel trug früher auch den Namen „Schwarzer Koriander" oder „Nardensamen", in Südeuropa hieß er „Römischer Kümmel".

Aus diesen Samen läßt sich ein fettes Öl mit wertvollen Inhaltsstoffen und vielseitigen Heilwirkungen gewinnen; kaltgepreßt und in seinem natürlichen Zustand belassen, ist es wirksamer als der bloße Schwarzkümmelsamen. Inzwischen wird auch ätherisches Öl aus der Destillation der Samen gewonnen. Man spricht von mehr als 20 verschiedenen Arten, die vorwiegend im Mittelmeerraum verbreitet sind, wobei die Varietäten aus Ägypten, Äthiopien und dem Sudan, außerdem aus Syrien und der Türkei für Heilanwendungen am besten geeignet sind.

Zeichnung von Nigella sativa

Nigella damascena in einem Vorgarten

Zeichnung von Nigella damascena

Andere Varietäten

Nigella damascena ist der Gartenschwarzkümmel. Er stammt ebenfalls aus Südeuropa, Westasien und Nordafrika und wird oft auch Damaszener oder Türkischer Schwarzkümmel genannt, wobei der Name aber eigentlich auf Syrien und seine Hauptstadt Damaskus verweist. Seit dem 16. Jh. ist er bei uns als Zierpflanze „in die Lustgärten" gepflanzt worden, wie der kräuterkundige Hieronymus Bock erwähnt. Der Gartenschwarzkümmel wird zwischen 25 bis zu 75 cm hoch. Trotz des Beinamens „Erdbeerkümmel" haben die zerriebenen Samen auch einen würzigen Geruch und Geschmack nach Ananas; sie wurden oft mit denen von Nigella sativa verwechselt und häufig auch als diese verkauft, da sie bei der Ölgewinnung ergiebiger sind. Ihr Anteil an wertvollen Inhaltsstoffen ist jedoch geringer. Durch die Verpflanzung dieser Schwarzkümmelart aus dem Vorderen Orient nach Mitteleuropa dürfte sich die Pflanze vermutlich verändert haben und es zu einer Abschwächung der Heilwirkung gekommen sein.

Die fein zergliederten Blätter des Gartenschwarzkümmels, die an Fenchel- oder Dillkraut erinnern, ähneln in der Form einem sehr feinen Wurzel- oder Haargeflecht. Wegen ihrer auffallenden Gestalt und ihrer empfindsamen Natur hat der Volksmund der Pflanze so poetische Namen wie „Jungfer in der Heck" oder „Gretchen im Grünen", „Braut in Haaren" oder „Venushaar" gegeben; dies bezieht sich auf den noch bis in 18. Jh. erhaltenen Brauch, daß die Braut bei der Hochzeit als Zeichen ihrer Jungfräulichkeit „in Haaren ging", d. h. in aufgelöst herabwallendem Haarschmuck.

Gartenschwarzkümmel ist bei uns als Zierpflanze zwar verbreiteter, hat aber einen geringeren Anteil an medizinisch wirksamen Inhaltsstoffen als der echte Schwarzkümmel.

Ob andere Beinamen von „Blaubart" bis zum „Devil in the Bush" möglicherweise mit dem ebenfalls überlieferten Brauch in Verbindung stehen, nicht nur Insekten und giftige Tiere, sondern auch Hexen mit dem Rauch von Schwarzkümmelsamen zu vertreiben?

Schließlich gibt es auch noch *Nigella arvensis*, den Ackerschwarzkümmel, der 10–20 cm hoch wird und in alten Kräuterbüchern im Unterschied zum „zam Nigella" (*N. sativa* bzw. *damascena*) als „wild Nigella" bezeichnet wird. Früher hieß er auch „wilder schwarzer Koriander", Haberkümmel oder Roßkümmel. Er wurde möglicherweise oft verwechselt mit dem schwarzen Ackerkümmel oder der Kornrade, deren botanischer Name *Agrostémma githágo* auf *Gith* (auch *Git* oder *Gitto*), den alten Namen für Schwarzkümmel, verweist.

Zeichnung von Nigella arvensis

111

Die Geheimnisse der alten orientalischen Kulturpflanze

Die ältesten Kulturen, bis zu denen sich der Anbau und die Nutzung von Schwarzkümmel zurückverfolgen lassen, sind die ägyptische und die assyrische. Von den Leibärzten der Pharaonen wurde die Pflanze gegen Entzündungen und Überempfindlichkeiten (die heutigen „Allergien") verwendet – die Wirksamkeit gegen allergische und entzündliche Symptome haben moderne Forschungsergebnisse bestätigt. In Schwarzkümmelöl soll nicht nur das „Geheimnis der Pharaonen", sondern auch jenes der für ihre Schönheit berühmten Königinnen Nofretete und Kleopatra verborgen sein. Es galt als wertvoll, denn warum hätte man es sonst wohl im Grabmal von Tut-enkh-amun entdeckt?

Die älteste Verwendung von Schwarzkümmel läßt sich mehr als 3000 Jahre bis in das Reich der Assyrer und in das Alte Ägypten zurückverfolgen.

Auch in einem assyrischen Kräuterbuch, wo Schwarzkümmel den Namen „schwarzer Tin-Tir" trägt, wird er als Heilmittel erwähnt, das äußerlich angewendet für Augen, Ohren und Mund, innerlich eingenommen für den Magen gut ist. Es finden sich viele alte Rezepturen für die Behandlung von Juckreiz, Flechten und Hautausschlägen, Verhärtungen, Geschwüren und Geschwulsten – ja, es wird ihm sogar die Heilung von Verletzungen durch den Biß von Schlangen oder Skorpionen zugeschrieben, wozu er entweder mit Essig oder Honig vermischt auf die Wunde gestrichen wird.

Von den Kopten (2.–7. Jh. n. Chr.), den direkten Nachkommen der alten Ägypter, wurde die überlieferte Kräutermedizin lebendig erhalten und an die Völker der arabischen Welt weitergegeben. Im Arabischen heißen die Samen *kamûn asvad*, „schwarzer Kümmel", oder *habbe sôda*, „schwarzer Samen". Der von dem Propheten Mohammed überlieferte Ausspruch: „Schwarzkümmel heilt jede Krankheit – außer dem Tod" verwundert

Von dem Propheten Mohammed ist der Ausspruch „Schwarzkümmel heilt jede Krankheit – außer dem Tod" überliefert.

nicht, wenn man sich das breite Wirkungsspektrum von Schwarzkümmel vor Augen führt. Daher nehmen viele Mohammedaner jeden Morgen eine Prise des Samens in Honig, was der Potenz und der allgemeinen Kräftigung dient.

Von Südosteuropa und Nordafrika über Kleinasien bis nach Indien wurde der Samen traditionell als Gewürz in Brot und in Gerichten verwendet, wo er gleich seine verdauungsfördernde und blähungshemmende Wirkung entfalten konnte. Durch den Gehalt an Bitterstoffen sowie an ätherischen Ölen wirkte er außerdem gegen Durchfall, Ruhr, Gelbsucht und Gallenkoliken, bei Verschleimung der Lunge und des Darmkanals, für die Anregung der Nieren und vermehrte Harnausscheidung sowie zur Förderung des Milchflusses und bei Menstruationsbeschwerden. Außerdem war traditionell seine Wirkung als „Wurmmittel" bekannt und wurde vor allem bei Kindern verwendet.

In der indischen Medizin wurde Nigella, als Speisegewürz und in Rezepten, gegen Magenkrämpfe, Durchfall, Amöben- und Bakterienruhr sowie gegen Fluor albus und venerische Krankheiten verwendet. Bei Sehtrübung durch Entzündungen der Schleimhäute wurde eine besondere Abkochung aus *Kalonji*, dem schwarzen Zwiebelsamen, mit Curcuma (Gelbwurz) und Kassumar-Ingwer empfohlen.

Zur Geschichte des Schwarzkümmels in Mitteleuropa

Der Name *melánthion* („Schwarzblatt") oder *meláspermon* („Schwarzsame") für Schwarzkümmel wird bereits von Hippokrates verwendet; auch bei Dioskurides und Galenus wird er unter diesem Namen erwähnt. Im 1. Jh. nennt Plinius ihn in seiner Naturkunde *Git* (*Gith* scheint auch eine arabische Namensform zu sein) und weiß sehr viel über seine medizinischen Vorzüge zu berichten. Im „Hortus" des St. Gallener Klosterplanes von 816 ist er als *Gitto* aufgeführt und erscheint auch im *Capitulare* von Karl dem Großen als alte Kulturpflanze. Hildegard von Bingen nennt ihn *Githerum ratde*, warnt aber vor seiner möglicherweise giftigen Wirkung; vielleicht verwechselt sie aber den Acker-schwarzkümmel mit der Kornrade. Bisweilen ist auch der lateinische Name *Papaver nigrum*, also „Schwarzmohn", zu finden (wobei interessanterweise dem im Damaszener Kümmel enthaltenen Alkaloid Damascenin eine narkoti-sche Wirkung zugeschrieben wird).

Seit dem 16. Jh. wird Schwarzkümmel, zumeist als „Schwarzer Koriander" bezeichnet, in allen einschlägigen „Kreutterbüchern" ausführlich behandelt. Die aus dem Vor-deren Orient bekannten Wirkungen stehen auch hier im Vordergrund. Wohl aus klimatischen Gründen finden sich besonders viele Rezepturen gegen Fieber, durch Kälte her-vorgerufene Kopfschmerzen, gegen Zahnschmerzen, Ka-tarrh und Schnupfen, zur Lösung von zähem Schleim sowie als Soforthilfe bei „Atemnot und Keuchen" – was wir heu-te wohl als „Asthma bronchiale" bezeichnen dürften. Auch Schwarzkümmelöl ist bereits bekannnt. Es hat den Namen *Melanthium Oleum*, wird mit Sesamöl bereitet und äußer-lich gegen das Wundliegen sowie bei Hautunreinheiten im Gesicht und für eine glatte Haut verwendet.

Bis zum 18. Jh. ist Schwarzkümmelsamen in der Volks-medizin ein sehr bekanntes und äußerst vielfältig verwen-detes Heilmittel gewesen. Wegen seines scharf-würzigen Geschmacks wurde er überall gern anstelle von gewöhnlichem Kümmel oder Pfeffer benutzt. Durch sei-ne Verwendung in Teigwaren war auch der volkstümliche Name „Brotwurz" ge-bräuchlich. Wir können uns nur wundern, weshalb eine derart populäre Heil- und Gewürzpflanze fast drei Jahrhunderte nahezu von der Bildfläche verschwunden war – jedenfalls bei uns, denn im Orient, von Ägypten über Syrien und die Türkei bis nach Indien und China, hat Schwarzkümmel nichts von seinem sagenhaften Ruhm eingebüßt.

Und klingt es nicht fast wie ein Märchen aus 1001 Nacht, daß Schwarzkümmelsamen durch eine asthmakranke Ara-

Bis zum 18. Jahrhun-dert ist Schwarzküm-melsamen in der Volksmedizin ein sehr bekanntes und äußerst vielfältig verwendetes Heilmit-tel gewesen.

114

berstute und einen Arzt vom Nil über die Zwischenstation in einem Forschungslabor so schnell den Aufstieg in die „Hitliste" der beliebtesten Naturheilmittel geschafft hat, die in keiner Hausapotheke fehlen sollten?

Was man über Anbau und Verarbeitung wissen sollte

Schwarzkümmel wird heute vor allem in Sudan, in Äthiopien, Ägypten, Syrien, in der Türkei und Indien angebaut. Die Pflanze gedeiht am besten in warmen, sehr sonnigen und niederschlagsarmen Gegenden und bevorzugt lockere Sandböden. Unter diesen idealen Wachstumsbedingungen kann sie auch ihre wertvollen Inhaltsstoffe in den Samenkapseln am besten entwickeln.

Schwarzkümmel gedeiht am besten in warmen, sonnigen und trockenen Gegenden, wie Ägypten, Syrien, der Türkei und Indien.

Schwarzkümmel ist eine einjährige Pflanze, die je nach Anbauland ab September bis zum Spätherbst oder Winter ausgesät wird. Mitte des Sommers kann nach der Blüte geerntet werden, sobald die Pflanzen von unten her absterben und die Kraft in die Samenkapseln geht. Geschnitten wird vor Sonnenaufgang, wenn die Kapseln noch keinen Tau aufgenommen haben. Sie werden zum Trocknen auf großen Tüchern ausgebreitet, dann wird der Samen ausgedroschen und zum Auspressen zur Ölmühle gebracht.

In Ägypten wird Schwarzkümmel auf großen Ackerflächen am oberen Nil und auch in ausgesuchten Oasen inmitten der arabischen Wüste nach biologischen Grundsätzen angebaut. In Syrien, einem weiteren klassischen Anbauland für Schwarzkümmel, gedeiht die beste Qualität nach bewährten traditionellen Anbaumethoden in der Region zwischen Euphrat und Tigris und südlich von Damaskus. Auch in der Türkei wird Schwarzkümmel seit vielen Jahrhunderten im landesüblichen Fruchtwechsel vor allem in Mittelanatolien und an der Ägäis angebaut.

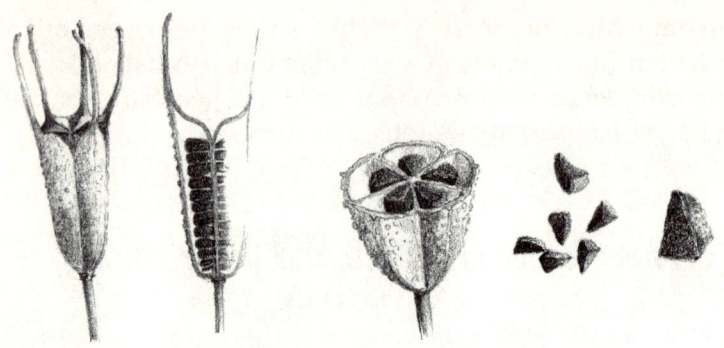

*Quer- und Längsschnitte der Samenkapsel sowie
der dreikantige Samen (Nigella sativa)*

Natürlich enthält schon der Samen alle wertvollen Inhaltsstoffe, die sowohl im pflanzlichen fetten Öl als auch im
ätherischen Öl enthalten sind. Abgesehen davon, daß er
einen etwas bitteren und scharfen Ge-
schmack hat, müßte man jedoch schon
eine große Menge des Samens verzehren, um eine Heilwirkung zu erzielen.
Daher wird das Öl aus den Samen zu
kaltgepreßtem Schwarzkümmelöl verarbeitet. Es ist verhältnismäßig dickflüssig,
von goldgelber Farbe und duftet sehr aromatisch und würzig, ein wenig wie Anis.
Für den Verbraucher ist es wichtig, daß
es sich um natives, durch Kaltpressung (ohne Lösungs-
mittelextraktion) gewonnenes Öl handelt, damit die Inhaltsstoffe unverfälscht erhalten bleiben.

*Bei der Qualität von
Schwarzkümmelöl
ist darauf zu achten,
daß es sich um
kaltgepreßtes Öl,
möglichst aus
naturgemäßem
Anbau, handelt.*

Seit neuestem wird der Samen auch destilliert und daraus das *ätherische* Schwarzkümmelöl gewonnen. Es ist
dünnflüssig und hat einen ähnlichen, aber wesentlich in-
tensiveren Duft als das fette Öl.

Über einhundert Inhalts- und Wirkstoffe

Schwarzkümmel wirkt als *Komplexmittel*, manche seiner Substanzen sind in ihrer Wirksamkeit noch nicht erforscht bzw. noch nicht einmal entdeckt. Die Gesamtwirkung erklärt sich aus einem Synergie-Effekt von fettem Öl, ätherischem Öl und Spurenelementen.

Schwarzkümmel enthält ca. 21 % Eiweiß, 38 % Kohlehydrate und 35 % pflanzliche Fette und Öle, die zu mehr als 50 % essentielle, mehrfach ungesättigte Fettsäuren aufweisen. Zu den insgesamt mehr als 100 Inhaltsstoffen gehören u. a. auch Saponine und Bitterstoffe. Der Anteil an ätherischen Ölen liegt zwischen 0,5–1,5 %. Die Inhaltsstoffe des Schwarzkümmelöls ähneln teilweise denen von Nachtkerzen- oder Borretschöl, haben jedoch durch ihre besondere Zusammensetzung eine andere synergetische und stärkere Wirksamkeit. Aus den vielen natürlichen Inhaltsstoffen läßt sich wiederum – wie auch schon bei Teebaumöl – der Schluß ziehen, daß Krankheitserreger die allergrößte Mühe haben dürften, dagegen resistent zu werden.

Eine besondere Rolle bei der Heilwirkung von Schwarzkümmel spielt der hohe Anteil an mehrfach ungesättigten Fettsäuren, z. B. Linol- und Gamma-Linolensäure. Moderne Forschungen haben nachgewiesen, daß diese essentiellen Fettsäuren, die der menschliche Körper nicht selbst bilden kann, an biochemischen Reaktionen im Organismus beteiligt und für die Immunabwehr äußerst wichtig sind. Durch Gamma-Linolensäure als Zwischenschritt werden beispielsweise hormonähnliche Substanzen wie Prostaglandin E1 produziert, das sich harmonisierend auf das gesamte Immunsystem auswirkt und überschießende „allergische" Reaktionen reguliert. Prostaglandin E1 ist auch entzündungshemmend und kann Immunblockaden auflösen. Gamma-Linolensäure hat eine stabilisierende Wirkung auf die Zellmembranen.

Eine besondere Rolle bei der Heilwirkung von Schwarzkümmel spielt der hohe Anteil an mehrfach ungesättigten, essentiellen Fettsäuren.

Als Inhaltsstoffe des Schwarzkümmels sind noch der Bitterstoff *Nigellin*, ein Alkaloid, sowie das Saponin *Melanthin* zu erwähnen, das zu den Glykosiden gehört. Beiden Substanzen wird eine appetitanregende, verdauungs- und ausscheidungsfördernde Wirkung zugeschrieben. Über Bitterstoffe als wichtiges Nahrungsergänzungsmittel werden wir später noch ausführlicher berichten.

Im übrigen sind die Forschungen über Schwarzkümmel und das synergetische Wirken seiner Inhaltsstoffe derzeit noch nicht ganz abgeschlossen.

Das ätherische Öl

Schwarzkümmel enthält 0,5–1,5 % ätherisches Öl, u. a. mit Sesquiterpenen (Alpha- und Beta-Pinen), Sabinen und Sabinenhydraten, Phenolen (Thymol und Carvacrol), Oxyden (1,8-Cineol), Terpen-Alkoholen (Borneol, Linalool) u. a. Ein besonders wichtiger Bestandteil ist der ätherische Wirkstoff *Nigellon Semohiprepinon*. Er wirkt erweiternd auf die Bronchien, krampflösend und wärmend, was sich vor allem als segensreich bei Bronchialasthma und Keuchhusten erweist und z. B. mittels Inhalationen und Einreibung eine rasche Linderung der Symptome bringt.

Der im ätherischen Öl enthaltene Inhaltsstoff Nigellon Semohiprepinon hat eine starke lindernde Wirkung bei Bronchialasthma und Keuchhusten.

Zusätzlich hemmt Nigellon die Histamin-Ausschüttung des Körpers und könnte für manchen Allergiker, wie eine indische Studie nachweist, zu einer echten Alternative zu kortisonhaltigen Mitteln werden.

Ein weiterer wichtiger Bestandteil des ätherischen Öls ist *Thymochinon*. Es besitzt entzündungshemmende, schmerzstillende und galletreibende Eigenschaften und wirkt zudem als Antioxidans.

118

Der Bitterstoff Nigellin

Anhand von Nigellin, einem Alkaloid als Bestandteil von Schwarzkümmel (und nicht zu verwechseln mit dem weiter oben beschriebenen ätherischen Wirkstoff „Nigellon"), das an seiner breitgefächerten Wirkung auf den gesamten Verdauungstrakt beteiligt ist, möchten wir hier einige grundlegende Anmerkungen über Bitterstoffe machen.

Dazu gehört nicht nur der bittere Geschmack, sondern auch eine bestimmte energetische Eigenschaft in den Nahrungsmitteln. Nicht von ungefähr bringen gerade die „bitteren Pillen" oft Hilfe. Nach dem Ayurveda wirkt Bitteres kühlend, leicht und trocken und nach dem Verzehr scharf. Durch seine regulierende Wirkung auf das Feuer im Körper ist es fiebersenkend, reinigt und trocknet Absonderungen aus. Es wirkt tonisierend, festigt das Gewebe und hilft auch bei Hautreizungen. Es wirkt anregend auf den Appetit und den Stoffwechsel und ist fördernd bei Verdauungsbeschwerden – dafür werden die Bittertonika ebenso wie alle Kümmelarten nicht ohne Grund gerühmt.

Vor allem dem Bitterstoff Nigellin verdankt der Schwarzkümmel seine stoffwechselanregende und verdauungsfördernde Wirkung

Weder das Saure noch das Salzige, sondern das Bittere gilt als energetischer Gegenpol zum Süßen. So kann es z. B. eine übermäßige Sucht nach Süßigkeiten neutralisieren. Insgesamt wirkt es regulierend und harmonisierend auf alle Geschmacksrichtungen und energetischen Qualitäten ein – oder, modern ausgedrückt: auf das Säure-Basen-Gleichgewicht. Durch ein gestörtes Säure-Basen-Gleichgewicht aufgrund der heute sehr verbreiteten Übersäuerung wird im Körper das „Milieu" geschaffen, das für alle Infektionen (virale, bakterielle oder mykotische) der ideale Nährboden ist.

Durch den Beitrag von Bitterstoffen zu einer ausgewogenen Ernährung können überschüssige Säuren im Körper abgebaut und eliminiert werden, wozu auch die Förderung der Nierenausscheidung beiträgt. Außerdem haben Bitterstoffe eine günstige Wirkung auf Leber und Galle, wie schon

Dioskurides im 1. Jh. bei seinem Lob der überaus bitteren Wermut-Pflanze mit folgenden Versen empfahl:

Für süße Nascher und für alle,
die Bitter brauchen für die Galle.

Bitteres unterstützt auch die Eliminierung von Schleim und Eiter, von Ödemen und überschüssigem Fett – ein Wissen, das die Chinesen praktisch für die Reduzierung von Übergewicht einsetzen.

Altes, zumindest wenn es unerwünscht ist, loslassen zu können, wird durch Bitteres auch auf der psychischen Ebene unterstützt. Dazu gehört die Einsicht in die oft sprichwörtlich „bittere Wahrheit" und die Notwendigkeit, etwas verändern zu müssen. Nur vorsichtig und gut dosiert müssen die Bitterstoffe sein, damit sie nicht allzusehr zusammenziehen und zu Bitterkeit oder gar Verbitterung führen, anstatt das gesamte energetische Gleichgewicht wiederherzustellen.

Schwarzkümmel – das Geheimnis seiner Heilkraft

Allgemein zeigt Schwarzkümmel nicht als isoliert wirkendes Medikament, sondern als *Nahrungsergänzung* sein breites Wirkungsspektrum. An erster Stelle ist hier seine regulierende und harmonisierende Wirkung auf das Immunsystem zu erwähnen. Vor allem durch seinen hohen Anteil an essentiellen, mehrfach ungesättigten Fettsäuren ist das Öl bei verschiedenen Störungen des Immunsystems wirksam. Es hat eine unterstützende Wirkung bei einer Abwehrschwäche des Immunsystems, kann umgekehrt aber auch eine zu starke Abwehrreaktion regulieren helfen.

Schwarzkümmelöl erweist sich als besonders wirksam bei verschiedenen Störungen des Immunsystems.

Schwarzkümmel für ein starkes Immunsystem

Wenn zu wenig Antikörper und Abwehrzellen im Körper vorhanden sind, liegt eine Immunschwäche mit großer Infektanfälligkeit vor. Die schwache Abwehr führt zu körperlicher und nervlich-vegetativer Erschöpfung und der Neigung zu chronischen Beschwerden bzw. Krankheiten. Damit ist auch der Nährboden selbst für Krebs (oder Aids) gegeben, da ein schwaches Immunsystem bösartig veränderte Zellen nicht mehr abwehren und unschädlich machen kann. Hier kann Schwarzkümmel sogar eine sogenannte „Immunblockade" auflösen helfen, wodurch sich die körpereigenen Abwehrzellen z. B. wieder ganz dem Kampf gegen einen Tumor widmen können.

Im umgekehrten Fall kann es zu einer zu starken, überschießenden, auch als „auto-aggressiv" bezeichneten Immunreaktion kommen, die sich z. B. in allergischen oder rheumatischen Symptomen äußert. Die Rolle von Schwarzkümmelöl bei der Synthese von Prostaglandin E1 über mehrfach ungesättigte Fettsäuren als Bausteine wurde bereits erwähnt. Diese hormonähnliche Substanz hemmt die Freisetzung von allergieauslösenden Botenstoffen im Körper. Häufig ist es nämlich so, daß ein gestörtes Immunsystem nach dem ersten Kontakt mit einem Allergen (z. B. bei Heuschnupfen bestimmte Eiweißsubstanzen in Blüten-, Getreide- und Gräserpollen) zwischen harmlosen und schädlichen Stoffen nicht unterscheiden kann, so daß es zu einer Überempfindlichkeit kommt – oft ein ganzes Leben lang. Durch die harmonisierende Wirkung auf das Immunsystem werden allergische Reaktionen gedämpft, die sich in Symptomen wie Heuschnupfen, Asthma, Hautkrankheiten, rheumatischen Erkrankungen und Lebensmittelunverträglichkeit äußern können.

Unterstützend vor allem bei Asthma bronchiale, ebenso wie bei Bronchitis, hartnäckigem Reizhusten und Nebenhöhlenvereiterung, ist seine gefäßerweiternde, also entkrampfende und sekretlösende Wirkung.

Welche Wirkungen hat Schwarzkümmel noch?

Schwarzkümmel besitzt auch eine starke antibakterielle und antimykotische Wirkung, die bei der Bekämpfung von entzündlichen Prozessen durch Bakterien- oder Pilzinfektion eine Rolle spielt.

Durch die Eigenschaft von Schwarzkümmelöl, Knochenmark und Immunzellen anzuregen und gesunde Zellen vor dem schädigenden Einfluß durch Viren zu schützen, kann es das Wachstum von Tumoren hemmen. Die Bildung des Botenstoffs *Interferon*, einem eiweißartigen Zellstoffwechselprodukt in lebenden Zellen, die mit schwach pathogenen Viren infiziert sind, wird erhöht und dadurch das Wachstum von schädlichen Mikroorganismen gehemmt. Untersuchungen in den USA haben nachgewiesen, daß Schwarzkümmelöl Tumorzellen zerstört, während es gleichzeitig die Knochenmarkszellen stimuliert und die Zahl der Antikörper produzierenden B-Zellen vermehrt. Dabei kommt es nicht zu einer Schädigung von gesundem Gewebe, d. h. die üblicherweise starken Nebenwirkungen wie bei einer Chemotherapie treten nicht auf. Es empfiehlt sich damit zum Einsatz bei der Krebsvorbeugung.

In einer Untersuchung wurde festgestellt, daß Schwarzkümmelöl das Wachstum von Tumoren hemmt, ohne daß die starken Nebenwirkungen wie bei einer Chemotherapie auftreten.

Schwarzkümmel wirkt unterstützend auf den Stoffwechsel, verdauungsfördernd und hat auch einen blutzuckersenkenden Effekt. Daher kann es die Behandlung von Diabetes mellitus oder einem durch Allergie verursachten Diabetes wirkungsvoll ergänzen. Hier ist jedoch Vorsicht und die Überwachung durch einen Arzt für Naturheilverfahren angeraten, da es durch die Einnahme zu einer starken Unterzuckerung kommen kann.

Die geistig-seelische Wirkung

Durch die Stimulierung der Stoffwechselprozesse und seine tonisierenden Eigenschaften wirkt Schwarzkümmel allgemein anregend, z.B. auch bei mentaler Erschöpfung und Konzentrationsschwäche. Das ätherische Öl, in der Duftlampe verbrannt, kann bei Neigung zu Depression die Stimmung aufhellen. Der österreichische Kräuterpfarrer Weidinger ordnet der Nigella das geistig-seelische Motto „Der Lichtblick" zu.

Nigella, die Lichtblüte, hellt Stimmungen auf

Die beste Dosierung

Bei einem Test mit rund 600 Allergie-Patienten, den ein Münchner Forschungsinstitut durchführte, wurde eine Dosis von täglich 2mal 500 mg Schwarzkümmelöl drei Monate lang erprobt. Bei 85 % der Patienten zeigte sich ein deutlicher Rückgang der Symptome.

Diese Werte beweisen, daß Schwarzkümmel unbedenklich über einen längeren Zeitraum eingenommen werden kann, ja sogar sollte. Von den im Handel erhältlichen Kapseln, die etwa 400 mg Schwarzkümmelöl enthalten, können 2–3mal täglich 1–2 Stück eingenommen werden. Die Menge richtet sich auch danach, ob es sich z. B. bei Pollenallergie mehr um eine vorbeugende Maßnahme oder um die Behandlung von akuten Beschwerden handelt. Bei dem flüssigen Öl beträgt die entsprechende Menge bis zu 3mal täglich ½ bis 1 Teelöffel. Die individuelle Dosierung ist am besten selbst zu erproben, da Schwarzkümmelöl nach unserer Erfahrung eine stark entschlackende und sämtliche Ausscheidungen fördernde Wirkung hat. Am Anfang kann es, wenn auch selten, zu einem gelegentlichen Aufstoßen kommen. Wenn man den pfeffrigen Samen unbedingt pur verzehren möchte, kann eine kurzfristige leichte Reizung der Schleimhäute des Mundes und der Speiseröhre auftreten.

Schwarzkümmelöl ist nicht toxisch und kann unbedenklich über einen längeren Zeitraum eingenommen werden.

Obwohl weder das fette noch das ätherische Öl toxisch ist, sollten Personen mit einem sehr empfindlichen Magen-Darm-Trakt oder Lebensmittelunverträglichkeit es vorsichtshalber zunächst einmal mit einer Minimaldosierung versuchen. Das ätherische Öl sollte auf der Haut nur verdünnt angewendet werden, da es leicht hautreizend sein kann.

Qualitätsmerkmale versus Produkt-Marketing

Hier sollte vor allem, wie schon erwähnt, auf die Qualität eines nativen kaltgepreßten Schwarzkümmelöls geachtet werden, möglichst aus naturgemäßem Anbau, damit die Inhaltsstoffe sowohl vollständig als auch unverfälscht erhalten sind, was durch den Einsatz von Lösungsmitteln bei der chemischen Extraktion nicht gewährleistet ist. Ferner sollte keine Oxidation vorliegen, was sich an einem strengen Geschmack des Öls feststellen läßt.

Es ist außerdem schon deshalb wichtig, auf ein qualitativ ganz reines Öl zu achten, weil es allein im Mittelmeerraum mehrere Dutzend Schwarzkümmelarten gibt, die zum Teil für eine Heilanwendung nicht geeignet sind.

Die Angabe des Herkunftslandes „Ägypten" bietet allein jedoch noch keine Qualitätsgarantie, denn *Nigella sativa*, also Echter Schwarzkümmel, ist keineswegs identisch mit ägyptischem Schwarzkümmel. Die Handelsmarke „ägyptischer Schwarzkümmel" gilt bei Fachleuten als eine Art deutsches „Patent" – zumal uns Berichte vorliegen, daß von Ägypten wegen der großen Nachfrage immer mehr Schwarzkümmel aus Syrien und der Türkei importiert werden muß, um dann als ägyptische Ware mit entsprechendem Produkt-Marketing weiterverkauft zu werden.

DIE BESTEN ANWENDUNGEN VON SCHWARZKÜMMEL

Genaue Hinweise für den Gebrauch und Rezepte finden sich im Anhang „Anwendungen von A–Z".

Wir haben bereits gesehen, daß Schwarzkümmel therapeutisch äußerst vielseitig eingesetzt werden kann. Durch die Regulierung eines geschwächten oder gestörten Immunsystems können viele sich daraus ergebende Krankheitssymptome, wie Infektionen, Grippe und Erkrankungen der Atemwege, verschiedene Störungen im Verdauungstrakt, Pilzinfektionen sowie das breite Spektrum der allergischen Erkrankungen, Hautleiden und rheumatische Beschwerden wirksam geheilt oder zumindest gelindert werden. Bereits erwähnt wurde schon die unterstützende Therapie bei Diabetes und Tumoren bzw. Krebs, dies aber selbstverständlich nur als Begleitmaßnahme im Rahmen einer medizinischen Behandlung.

Schwarzkümmel kann äußerlich und innerlich, auch in Kombination von beidem, angewendet werden, wozu wir nun einige praktische Beispiele bringen möchten.

Schwarzkümmel kann therapeutisch äußerst vielseitig eingesetzt und ebenso äußerlich wie innerlich angewendet werden.

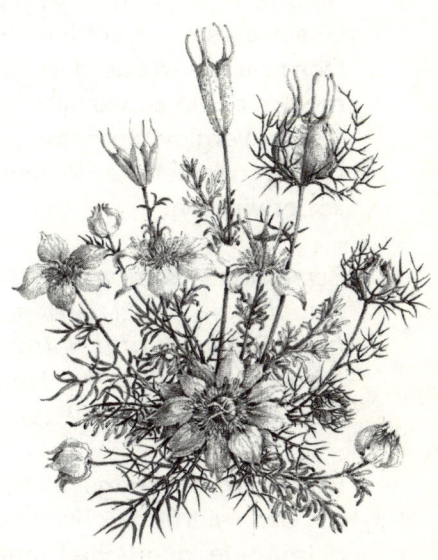

Drei Schwarzkümmelvarietäten in einem kleinen Sträußchen

127

Schwarzkümmel für die äußerliche Anwendung

Bei Hautleiden

Bei fast allen Entzündungen der Haut, bei Akne, Ekzemen, Psoriasis, auch bei Hautpilz und Neurodermitis sowie bei Prellungen, Stauchungen und Blutergüssen können die betroffenen Hautstellen mit unverdünntem Schwarzkümmelöl eingerieben werden. Zusätzlich gibt es noch verschiedene Rezepturen und Anleitungen, wie zusammen mit Apfelessig und/oder Heilerde eine Heilsalbe daraus hergestellt werden kann.

Diese Art der Anwendung ist auch historisch belegt. In der Volksmedizin wird zerstoßener Schwarzkümmelsamen mit Essig vermischt und wie ein Pflaster auf die betroffene Stelle aufgelegt; dies wird ebenfalls für Verhärtungen und Geschwulste empfohlen. Zur Behandlung von Warzen und Dornwarzen wurde damals schon dazu geraten, den Samen mit Urin zu vermischen!

Zum Vergleich möchten wir hier noch ein altes, von den Kopten überliefertes Rezept gegen Juckreiz der Haut (Krätze) erwähnen:

Zerstoßener Schwarzkümmelsamen wird zusammen mit Knoblauch, abgelagertem (ausgereiftem) Essig, Tannenharz, Rettichöl und Natron aufgekocht und als Salbe verwendet. Die erkrankte Haut wird sich ablösen. Nach drei Tagen mit warmem Wasser abwaschen.

Besonders wirkungsvoll hilft eine äußerliche Behandlung mit ozonisiertem Schwarzkümmelöl, unterstützt durch regelmäßige innerliche Einnahme, bei chronisch entzündlichen Hauterkrankungen, wozu auch Neurodermitis gehört. Die kombinierte Behandlung hat nämlich eine dreifache Wirkung: Sie beseitigt den Juckreiz, reguliert die Überreaktion des Immunsystems und fördert die Abheilung der befallenen Hautpartien. Durch die Verbindung von antiallergischen mit entzündungshemmenden Wirkfaktoren könnte sich Schwarzkümmelöl als echter Lichtblick für die Behandlung der bisher im Grunde genommen nicht therapierbaren Neurodermitis erweisen.

Eine besonders wirkungsvolle Hilfe bietet Schwarzkümmel bei den schwer therapierbaren allergischen Hauterkrankungen.

Bei Erkrankungen der Atemwege

Schwarzkümmel hat eine gefäßerweiternde, die Bronchien entkrampfende und schleimlösende Wirkung, die durch den regulierenden Effekt auf das Immunsystem noch sehr gut ergänzt wird. Bronchitis, Lungenentzündung, hartnäckiger Reizhusten und Nebenhöhlenvereiterung werden durch Inhalationen mit Schwarzkümmelsamen ebenso gelindert wie Asthma bronchiale und Heuschnupfen. Eine Tasse frischgemahlener Schwarzkümmelsamen wird in einer Schüssel mit einem Liter kochendem Wasser über-

Mit den inhalierten Dämpfen des Schwarzkümmels können infektiöse wie allergische Erkrankungen der Atemwege wirksam gelindert werden.

brüht und (mit einem Handtuch über dem Kopf, auch wenn es uns ganz schrecklich an die Kamillendampfbäder aus der Kindheit erinnert) eine Viertelstunde lang inhaliert, am besten abends vor dem Schlafengehen. Diese Wirkung kann noch verstärkt werden, wenn man ein wenig von dem ätherischen Öl (oder auch andere Düfte) hinzufügt.

Weitere Maßnahmen sind unter innerlicher Anwendung erwähnt. Z. B. hat die regelmäßige Einnahme von Schwarzkümmel-Ölkapseln möglichst schon einige Monate vor Beginn des Pollenflugs eine stark vorbeugende Wirkung.

Eine verblüffend einfache Eigentherapie für allergisch bedingte Erkrankungen der Atemwege, die wir zwar aus altüberlieferten Quellen kannten, aber womöglich doch unterschätzt hätten, wurde uns kurz vor Abschluß dieses Buches überraschend bestätigt:

Was hat Schwarzkümmel
mit der Rechtschreibreform zu tun?

Bei einer Reise zu verschiedenen engagierten Gegnern der Rechtschreibreform kam ein Südwestfunk-Redakteur mit seinem Fernsehteam auch in die Nähe von Oldenburg. Das Ehepaar, das dort an diesem Tag die Hauptrolle in dem geplanten Film spielte, hatte drei Katzen. Bereits als der Redakteur von deren Existenz nur hörte und der ersten ansichtig wurde, begannen sich seine Augen zu röten, und die Nase fing zu triefen an – er hatte eine ausgemachte Katzenallergie!

Zum Glück wußten seine Gastgeber Rat und holten einen kleinen Stoffbeutel mit Schwarzkümmelsamen, den sie von einer Reise nach Marokko mitgebracht hatten. Er stammte von einem Apotheker-Herbalisten in Marrakesch, der seine Kräuterschätze vor ihnen ausgebreitet und Schwarzkümmel gegen starke Kopfschmerzen, Migräne, Raucherhusten, Schnupfen und vor allem auch zur Linderung von Heuschnupfen und allergischem Asthma empfohlen hatte.

Als williges Versuchskaninchen nahm der Redakteur das Reisesouvenir, rieb an den Samen und hielt sich den Beutel unter die Nase, um die ihm entweichenden ätherischen Dämpfe einzuatmen ... Die Wirkung war für ihn wie sein Publikum geradezu schlagend, denn nach höchstens einer Viertelstunde waren alle Beschwerden restlos verflogen – was nach seiner eigenen Aussage sonst zwei bis drei Wochen gedauert hätte – und die Dreharbeiten konnten ungehindert weitergehen.

Am folgenden Tag ergab es sich (zufällig?) im Gespräch bei Freunden von uns, wo er seinen nächsten Drehtermin hatte, daß er sein „Schlüsselerlebnis" vom Vortag erwähnte. Auf diese Weise erfuhren auch wir von den wunderbaren Zusammenhängen zwischen dem Antiallergikum Schwarzkümmel und der Rechtschreibreform.

Als Allroundmittel „rund um den Kopf"

Viele hierfür überlieferte Rezepte aus der Volksmedizin haben uns sehr zum praktischen Ausprobieren inspiriert. Einige davon möchten wir als Anregung weitergeben:

Sicherlich eines der einfachsten Mittel gegen Schnupfen und Katarrh bestand darin, Schwarzkümmelsamen auf Räucherkohle zu verbrennen. Sie konnten aber auch zerstoßen, in der Pfanne geröstet, mit destilliertem Majoranwasser befeuchtet und in ein seidenes oder leinenes Tüchlein gebunden werden, das man sich unter die Nase hielt.

Für die Herstellung von Nasentropfen wurden die zerstoßenen Samen mit altem „Baumöl" (Olivenöl) vermischt. Für die Anwendung sollte man den Kopf so weit wie möglich nach hinten legen und drei Tropfen in jedes Nasenloch träufeln. Ein guter zusätzlicher Tip: Den Mund voll Wasser nehmen, damit das Öl nicht hineinfließt!

Hier noch eine Rezeptur für Fortgeschrittene:

Nardensamen (Schwarzkümmel) und Veilchenwurzel (Iris florentina) werden zerstoßen und zu einem ganz feinen Pulver durchgesiebt. Dann Lavendelblüten, Katzenminze, Majoran, Lorbeerblätter und Kamille, jeweils zu gleichen Teilen, sieden lassen und durchseihen. Mit dem Pulver vermischen und als Nasentropfen verwenden.

Die Wirkung wird als sehr reinigend beschrieben. Sie bringt den verlorenen Geruch wieder und macht die Nebennasen- und die Stirnhöhlen frei.

In die Nasenlöcher gestrichen, wurde Schwarzkümmel als Mittel gegen Star im Anfangsstadium empfohlen; die moderne Anwendung sieht hier bei Überanstrengung der Augen durch Bildschirmarbeit oder zu langes Lesen das Auflegen von Kompressen mit einer Schwarzkümmelabkochung vor.

Der pulverisierte Samen, in die Nase gestrichen, soll auch bei Kopfschmerzen helfen, wenn sie durch Kälte verursacht sind. Mit Apfelessig und möglichst noch mit „blauem Lilien-

Zwischen den Rezepturen aus der alten Volksmedizin und modernen therapeutischen Empfehlungen für die Anwendung von Schwarzkümmel besteht eine große Übereinstimmung.

öl" (Iris) vermischt, wurde er mit derselben Indikation auf der Stirn und an den Schläfen verrieben. Bei einem anderen Rezept gegen das „Hauptweh" wurde zerstoßener Schwarzkümmelsamen mit Rosenhonig und Irisöl vermischt.

Gegen Zahnschmerzen wurde Schwarzkümmelsamen zerstoßen, mit Olivenöl zu einer Paste vermischt und um die Zähne gestrichen. Auch Apfelessig als weitere Zutat wurde hierfür verwendet, ebenso wie für Mundspülungen. Gegen Geschwüre im Mund wird Schwarzkümmelsamen gekaut. Dies sind auch durchaus moderne Empfehlungen.

Gegen Ohrweh wurde Schwarzkümmelsamen in heißem Öl ausgebacken und abgeseiht; das Fett wurde in die Ohren gestrichen. Heute können wir auch die einfachere Methode anwenden, etwas Schwarzkümmelöl direkt in das Ohr zu träufeln und zusätzlich hinter dem Ohr einzumassieren.

Schwarzkümmel für die innerliche Anwendung

In Form der gebrauchsfertigen Ölkapseln ist Schwarzkümmelöl heute sehr einfach zur Linderung vieler akuter oder auch schon chronisch bestehender Beschwerden sowie zur Vorbeugung (z. B. bei Pollenallergie) innerlich einzunehmen. Als Hauptanwendungsgebiete seien nochmals genannt:

- ❀ Steigerung einer geschwächten Immunabwehr mit starker Infektanfälligkeit
- ❀ Regulierung einer überschießenden Immunreaktion mit allergischen Erkrankungen
- ❀ Erkrankungen der Atemwege
- ❀ Erkrankungen im Magen-Darm-Trakt
- ❀ hormonell bedingte Störungen
- ❀ Hautprobleme u. v. a.

Nachfolgend wieder einige Spezialrezepte aus dem alten Erfahrungsschatz:

Häufig empfohlen wird ein durchgreifendes Mittel bei wiederkehrendem Fieber: 2 Teile Schwarzkümmelsamen und 1 Teil Petersiliensamen werden zerstoßen und mit warmem Wein eingenommen, damit man schwitzt und das Fieber vertrieben wird.

Wir haben auch ein altes Rezept gegen „Asthma bronchiale" gefunden: Der in Wein (oder Wasser) gesottene und durchgeseihte Samen wirkt reinigend auf Brust und Lungen, erweicht dicken, zähen Schleim und fördert den Auswurf. Morgens und abends sollte davon ein Becher warm getrunken werden. Dies half, wie es damals hieß, auch bei „Atemnot und Keuchen"! Eine gewisse Vorsicht ist angesagt, denn Schwarzkümmel wirkt auch stark auf die Ausscheidung, harntreibend und menstruationsfördernd.

Inhalationen mit Schwarzkümmel bei Grippe und Erkrankungen der Atemwege, auch allergischer Art, werden wirksam durch die Einnahme eines Schwarzkümmelsirups unterstützt. Hierfür wird 1 Teil feingemahlener Schwarzkümmel mit 2 Teilen Honig und einer zerdrückten Knoblauchzehe vermischt. Aus eigener Erfahrung können wir allerdings verstehen, wenn man anstelle von Knoblauch lieber die entsprechende Menge geriebenen Ingwer vorzieht. Von diesem Sirup wird einige Wochen lang morgens ein Teelöffel genommen.

Ein guter Erkältungstee läßt sich aus 3 Teilen feingemahlenem Schwarzkümmel, 2 Teilen Süßholzwurzel und 1 Teil Anissamen mischen. Er wird mit heißem Wasser aufgebrüht, 10 Minuten ziehen gelassen und kann dann nach Geschmack mit Honig gesüßt werden.

Mit seinem breiten Wirkungsspektrum erweist sich Schwarzkümmel als altes und traditionell bewährtes Hausmittel, das auch in jede moderne Hausapotheke gehört.

Mit seinem breiten Wirkungsspektrum erweist sich Schwarzkümmel als bewährtes Hausmittel, das auch in jede moderne Hausapotheke gehört.

Außer der Schwarzkümmel-, Süßholz- und Anismischung, die nicht nur gut bei Erkältung, sondern auch entspannend auf den Magen und die Nerven wirkt, kann Schwarzkümmelsamen pur als Tee gegen Blähungen und andere Verdauungsbeschwerden aufgebrüht werden. Pro Tasse verwendet man 1 Teelöffel (etwa 1 g) des vorher zerstoßenen Samens, der mit kochendem Wasser überbrüht wird. 10–15 Minuten ziehen lassen und durch ein Sieb abgießen. Zweimal täglich zwischen den Mahlzeiten 1 Tasse Tee trinken.

Gegen Bauchschmerzen brüht man einen Tee zu gleichen Teilen aus Schwarzkümmel, Fenchel und Pfefferminze auf. Seine Wirkung wird noch intensiviert, wenn pro Tasse einige Tropfen Schwarzkümmelöl hineingeträufelt werden. Die Menge bleibt dem persönlichen Geschmack überlassen, ebenso das Süßen mit Honig.

Es gibt noch ein bewährtes Hausrezept gegen Menstruationsbeschwerden und, vor allem hormonell bedingte, Kopfschmerzen: 1 Teil feingemahlener Schwarzkümmelsamen, 1 Teil zerstoßene Aniskörner und 1 Teil Gewürznelkenpulver werden miteinander vermischt und als Pulver eingenommen. Jeweils vor den Mahlzeiten wird 1 Teelöffel davon so lange im Mund eingespeichelt, bis es sich herunterschlucken läßt. Zugegeben, dies ist sicher eine etwas gewöhnungsbedürftige Methode – aber offenbar eine mit rascher Wirksamkeit.

Die folgende Fallgeschichte einer Frau um die 50, die auch schon die ersten Vorboten der Wechseljahre registriert hat, berichtet von einer etwas längerfristigen, aber auch umfassender wirksamen Behandlung bei ähnlicher Symptomatik:

Seit einigen Jahren litt ich unter starken migräneartigen Kopfschmerzen, mit Übelkeit und Erbrechen verbunden, die fast regelmäßig einmal im Monat und fast immer während der Menstruation auftraten. Man vermutete daher einen Zusammenhang mit dem Hormonsystem. Mit den unterschiedlichsten Naturheilmiteln war stets nur eine ganz geringe Linderung der Symptome zu erreichen, vor der Einnahme irgendwelcher „Blocker" schreckte ich zurück.

Als eine Heilpraktikerin mir von Schwarzkümmelöl erzählte und, auf die Frage nach der Wirkungsweise, auch den Einfluß auf hormonähnliche Stoffe und das Immunsystem erwähnte, beschloß ich, einen Versuch zu machen. Ich nahm Schwarzkümmelöl in Form von Kapseln regelmäßig ein. Wegen der stark reinigenden und allgemein ausscheidungsfördernden Wirkung mußte ich mit der Dosierung immer etwas jonglieren und verwendete Schwarzkümmel daher an manchen Tagen nur als Teeaufguß oder Gewürz.

Inzwischen treten Kopfschmerzen weitaus seltener und regelrechte Migräneanfälle überhaupt nicht mehr auf. ich fühle mich insgesamt wesentlich stabiler, sozusagen „immuner" und sehe nun auch den Wechseljahren mit ihren möglichen Begleiterscheinungen um einiges gelassener als vorher entgegen.

Schwarzkümmel zur Haut- und Körperpflege

Auch hier kann Schwarzkümmel auf eine lange Erfolgsgeschichte zurückblicken, denn er soll bereits von den ägyptischen Königinnen Nofretete und Kleopatra, die wegen ihrer Schönheit berühmt waren, für kosmetische Zwekke verwendet worden sein. Das Rezept, einen Eßlöffel Schwarzkümmelöl mit einem Eßlöffel Honig zu vermischen und auf die gereinigte Gesichtshaut aufzutragen, klingt doch recht orientalisch, oder nicht? Diese Gesichtsmaske läßt man 15 Minuten einwirken und spült sie mit lauwarmem Wasser ab. Danach fühlt sich die Haut wieder glatt an – und man selbst ist um einiges entspannter.

Schon bei Plinius findet sich ein Rezept mit Nigella und Apfelessig gegen Hautausschlag. Mehrere solcher Rezepte, noch um Heilerde und Schwarzkümmelöl erweitert, haben wir in den Anhang aufgenommen. Bei Ekzemen ist diese Behandlung zusätzlich durch die innerliche Einnahme von Schwarzkümmel-Ölkapseln zu unterstützen.

In alten Kräuterbüchern taucht Schwarzkümmelöl unter dem Namen *Melanthium Oleum* auf; es wurde mit Sesamöl zubereitet und gegen Hautunreinheiten und zur Glättung der Gesichtshaut verwendet. Um den stark würzigen, recht herben Duft zu mildern, wird es heute gern mit Oliven-, Mandel- oder Macadamiaöl vermischt. Wie auf Nachfrage zu erfahren war, scheint die Verarbeitung des Öls jedoch Schwierigkeiten zu bereiten, so daß bisher nur verhältnismäßig wenige kosmetische Fertigprodukte angeboten werden.

Also hilft man sich selbst und stellt sich beispielsweise bei unreiner Haut eine „Nigella-Kleie" her. Dafür werden Schwarzkümmelsamen geschrotet und mit Wasser verrührt. Damit werden die betroffenen Hautpartien „abgerubbelt" und dann anschließend gut mit lauwarmem Wasser abgespült. Zum gleichen Zweck können Gesichtsdampfbäder gemacht werden, die übrigens auch den Augen gut tun.

Als Badezusatz kann Schwarzkümmelöl (5 ml) gut bei angegriffener Haut sowie zur allgemeinen Revitalisierung verwendet werden. Durch die innerliche Einnahme von Ölkapseln unterstützt, sorgt die heilsame Wirkung der mehrfach ungesättigten Fettsäuren für die Entgiftung des Organismus, die Regeneration des Darms und eine Harmonisierung des Immunsystems – und dies alles wirkt sich natürlich auch auf die Schönheit der Haut aus.

Schwarzkümmel und Tiere

Als Insektenschutz

Zu diesem Zweck wird Schwarzkümmelsamen, der auch in dem Ruf stand, durch seinen Rauch Schlangen, Skorpione und sogar Hexen zu vertreiben, einfach in einer Eisenpfanne oder direkt auf der Herdplatte verbrannt. Zur Abwehr von Insekten, aber auch bei Insektenstichen kann man Schwarzkümmelöl, gegebenenfalls mit einem geeigneten ätherischen Öl wie Teebaum- oder Lavendelöl, direkt zum Einreiben verwenden. Das wirkt übrigens auch bei Sonnenbrand.

Nach altem Rezept wurde Schwarzkümmelsamen in Leinensäckchen gefüllt und in Wäscheschränke oder Betten gelegt. Damit hielt man Schaben, Flöhe, Läuse und anderes Ungeziefer ab.

Zur Tierpflege

Nicht nur im Orient, auch in Mitteleuropa war noch vor einigen Jahrhunderten bekannt, daß sich aus Schwarzkümmelsamen ein Öl, ein Harz und ein gummiartiger Extrakt gewinnen ließ, der häufig bei „Viehkrankheiten" verwendet wurde.

Heute werden pro Tonne Futter 1–5 kg Schwarzkümmelsamen zugegeben. Dies dient nicht nur allgemein zur Stärkung des Immunsystems, sondern hilft z. B. bei Pferden gegen allergische Symptome (Asthma, Ekzeme) und bei Kühen gegen Mastitis (Euterentzündung).

Die Verwendung von Schwarzkümmel in der Küche

Gerne geben wir zu, daß wir uns dieses Kapitel und den Rezeptteil bis zum Schluß aufgehoben haben, weil uns diese eher spielerische Verwendung von Schwarzkümmel ausgesprochenen Spaß macht und wir noch mitten in der recht kreativen Experimentierphase sind.

Schwarzkümmel als Gewürz

Trotz teilweise ähnlicher Verwendung besteht botanisch keine Verwandtschaft zwischen *Nigella sativa* und *Carum carvi*, unserem Gewürzkümmel. Unsere Vorfahren nannten Schwarzkümmel daher zutreffender „schwarzer Koriander". Durch seinen würzig scharfen Geschmack diente er auch als Pfefferersatz.

Vor allem in der arabischen Tradition des Brotbackens – und früher auch bei uns – ist die Verwendung von Schwarzkümmel sehr verbreitet. Dies verbessert den Geschmack und macht gleichzeitig das Brot bekömmlicher. Auf 1 kg Mehl werden 100 g zerstoßene oder gemahlene Schwarzkümmelsamen verwendet. Zusammen mit Mohn kann man Schwarzkümmel auch gut auf Brot oder Gebäck streuen.

Von Südosteuropa, Nordafrika und Westasien ist Schwarzkümmel auch in den Mittleren Osten gelangt und wird häufig in Indien kultiviert. Wie in der Türkei und anderen Ländern des Vorderen Orients wird er gern auf Fladenbrote (*Chapatis*) gestreut und in Speisen verwendet.

Der indische Name für Schwarzkümmel ist *Kalonji*. Da er Zwiebelsamen sehr ähnlich sieht, wird er manchmal als „schwarzer indischer Zwiebelsamen" angeboten, aber auch gern mit dem schwarzen Kreuzkümmel (*Cuminum nigrum*, indisch *Kala-jira*) verwechselt. *Kalonji* ist in vielen indischen Gewürzmischungen enthalten, z. B. in einem Fünfkorn-Masala zusammen mit Kreuzkümmel, Fenchel, schwarzer Senfsaat und Bockshornklee, das den Namen *Panch phoron*, also „Fünfsaat" trägt.

Als Gewürz läßt sich Schwarzkümmel gut anstelle von Pfeffer verwenden, wir haben ihn zum regelmäßigen Gebrauch gleich in eine Pfeffermühle gefüllt. Er ist zwar etwas bitterer, aber weniger scharf und würziger als Pfeffer und gibt den Speisen einen leicht exotischen Geschmack. Um das Aroma zu intensivieren, kann man die Samen zuerst ohne Beigabe von Fett in der Pfanne rösten, bevor man sie an die Speisen gibt. Schwarzkümmel schmeckt besonders gut zu *Dal*, den indischen Linsengerichten, und anderen Hülsenfrüchten, in Pickles und Chutneys, Gemüsen (z. B. Kohl und Zucchini), Salaten, Joghurt und Quark. Es folgt das Rezept für:

Orientalischer Gurkensalat mit Joghurtsauce

Zutaten: 1 Salatgurke
250 g dicker (z. B. griechischer) Joghurt
½ TL gemahlener Schwarzkümmelsamen
1 TL feingehackte frische Minze
Salz

Die Salatgurke fein hobeln und salzen. Den Joghurt mit dem Schwarzkümmel und der Minze verrühren, zu der Gurke geben und gründlich untermischen. Gleich servieren, damit der Gurkensaft nicht die Sauce verwässert.

Einige Backrezepte

Chapatis – Indische Fladenbrote
Zutaten: 250 g feines Weizen- oder Roggenvollkornmehl
½ TL feingemahlener Schwarzkümmelsamen
1 TL Salz
ca. 150 ml Wasser

*Das Mehl in einer Schüssel mit den Gewürzen vermischen.
Nach und nach das Wasser hinzugeben und unterkneten,
bis ein geschmeidiger Teig entsteht. Den Teig etwa 20 Minuten ruhen lassen. Zu dünnen runden Fladen ausrollen
(die angegebene Mehlmenge reicht etwa für 6 Stück) und
von beiden Seiten in einer Eisenpfanne gar backen.*

Persische Fladenbrote aus dem Backofen
Zutaten: 500 g feines Weizenvollkornmehl
1 Päckchen Hefe
ca. 6 Tassen lauwarmes Wasser
½ Tasse kaltgepreßtes Öll
10 g Meersalz
½ –1 TL feingemahlene Schwarzkümmelsamen

*Das Mehl unter Zugabe der Hefe mit dem Wasser zu einem
Teig kneten und 15 Minuten gehen lassen. Öl, Salz und die
Schwarzkümmelsamen dazugeben und nochmals durch-
kneten. Zu tellergroßen Fladen ausrollen (die angegebene
Mehlmenge reicht etwa für 4 Stück). Mit Schwarzkümmel
(und Mohn) bestreuen und bei 250° ca. 10 Minuten auf
oberer Schiene im Backofen goldbraun backen.*

Leckere Gewürzschnitten
Zutaten: 250 g Weizenvollkornmehl
½ Päckchen Hefe
2 Tassen lauwarmes Wasser
1 TL Honig

zu einem Teig kneten und 15 Minuten gehen lassen. Dann werden folgende Zutaten dazugegeben:

> 75 g zerlassene Butter oder Pflanzenmargarine
> 75 g gemahlene Haselnüsse oder Mandeln
> 60 g Honig
> 1 EL Zimt
> 1 TL Schwarzkümmel
> je 1 Messerspitze Ingwer, Nelken, Muskat
> 1 EL Kakaopulver
> geriebene Schale von ½ Zitrone

Alles gut unterkneten und in eine Kastenform füllen. Nochmals 15 Minuten gehen lassen. Bei 200° ca. 1 Stunde im Backofen backen.

Dazu als besondere Köstlichkeit: Ähnlich wie Kardamon, eine Prise Schwarzkümmel mit in den Kaffee geben. Wer die Kaffeebohnen selbst frisch mahlt, kann die Schwarzkümmelsamen mit in die Mühle tun.

Das schmeckt wie in einem Märchen aus 1001 Nacht, hellt die Stimmung auf – und läßt viele Krankheiten vergessen.

Wir gestehen unumwunden, daß wir Schwarzkümmel auch deshalb besonders mögen, weil er zusätzlich zu seinen therapeutischen Vorzügen diese herrliche Verwendung als „Nahrungsergänzung für ganz Gesunde" hat. Wir sind aber nicht minder von seiner unglaublich vielfältigen Heilanwendung überzeugt. Was früher weitgehend auf Erfahrungsheilkunde beruhte, wird heute durch wissenschaftliche Untersuchungsergebnisse bestätigt – wie auch schon bei Johanniskraut.

Je mehr wir uns auf die Spurensuche des Schwarzkümmels begaben, um so deutlicher kristallisierte sich der Plan zu einem eigenen umfassenderen Buch heraus, das alte

Überlieferung und Volksmedizin einerseits und neueste wissenschaftliche Untersuchungen und Therapien andererseits miteinander verbindet.*

* *1997 im Windpferd Verlag erschienen unter dem Titel „Das große Schwarzkümmel-Handbuch".*

Die
drei großen Heiler

Anwendungen
von A–Z

Allergien s. unter *Asthma bronchiale, Hautleiden, Heuschnupfen*

Anämie

Johanniskraut (vorzugsweise bei jungen Frauen)
Innerlich: 3mal täglich 2 Kapseln oder 10 Tropfen des flüssigen Extraktes; nach 14 Tagen reduzieren auf 2mal täglich 1 Kapsel oder 5 Tropfen. – 3mal täglich 1–2 Eßlöffel des Frischpflanzen-Preßsaftes, nach 14 Tagen auf 3mal täglich 1 Eßlöffel reduzieren. – Als Tee: 1 Tasse Johanniskrauttee, mit 1 Eßlöffel Honig gesüßt, vor dem Schlafengehen. – Teemischung mit Tausendgüldenkraut im Verhältnis 1:1.

Asthma bronchiale

Teebaumöl *Äußerlich:* an einem Fläschchen Teebaumöl oder einem damit getränkten Taschentuch riechen; einen warmen Brustwickel mit einer Mischung aus Teebaum-, Eukalyptus- und Thymianöl auflegen. – Mischung für die Duftlampe: Teebaumöl mit Melissen- und Rosenblütenöl.
Innerlich: 1 kleine Zwiebel und 2 Knoblauchzehen 30 Minuten in 2 Tassen Irisch Moos-Gelee kochen. Abkühlen lassen und durch ein Sieb pressen. Mit ½ Tasse **Manuka**-Honig vermischen. Teelöffelweise als Sirup einnehmen.
Johanniskraut *Innerlich:* Teeaufguß mit 1 Messerspitze Aloe (schleimlösende Wirkung). – Mittlere und höhere homöopathische Potenzen ab D6 (bei Beklemmungszuständen).
Schwarzkümmel *Äußerlich* – als Inhalation: 1 Eßlöffel feingemahlenen Schwarzkümmelsamen (oder ½ Eßlöffel fettes bzw. 5 Tropfen ätherisches Schwarzkümmelöl) in eine Schüssel geben, mit 1 l kochendem Wasser übergießen, etwa 15 Minuten die heißen Dämpfe inhalieren (Kopf unter einem großen Handtuch).

Innerlich: 2-3mal täglich ½ Teelöffel Öl bzw. 1 Kapsel einnehmen. – Als Tee: 3 Teile Schwarzkümmel, 2 Teile Süßholz und 1 Teil Anis mit heißem Wasser überbrühen, 10 Minuten ziehenlassen, durchfiltern, heiß und evtl. mit Honig gesüßt trinken. – Als Sirup: 1 Teil feingemahlenen Schwarzkümmel, 2 Teile (Manuka-) Honig und 1 Knoblauchzehe zerdrücken bzw. die entsprechende Menge geriebenen Ingwer verwenden. Mehrere Wochen lang jeden Morgen 1 Teelöffel dieses Sirups einnehmen.

Augenschmerzen

Schwarzkümmel *Äußerlich* – als Augenkompressen: Bei Überanstrengung der Augen (z. B. durch Bildschirmstrahlung oder zu langes Lesen) 1 Eßlöffel Schwarzkümmelsamen in 1 Tasse Wasser aufkochen und 10 Minuten ziehen lassen. Durchseihen. Damit 2 Wattebäusche tränken und 10 Minuten auf die Augen legen. – Vor dem Schlafengehen die Schläfen mit Schwarzkümmelöl einreiben.

Bettnässen

Johanniskraut (vor allem nächtliche Enuresis bei kleinen Kindern; auch bei Blasenkatarrh)
Innerlich: 3mal täglich 1–2 Kapseln oder 5–10 Tropfen Tropfen oder 1 Eßlöffel Preßsaft. – Als Tee: Johanniskraut pur oder mit Schafgarbe oder Schachtelhalm. – Teemischung aus Johanniskraut, Schafgarbe und Eichenblättern zu gleichen Teilen, oder: 2 Teile Johanniskraut und je 1 Teil Eichenrinde, Lindenblüten und Bärentraubenblätter. *Den Tee am frühen Nachmittag trinken, danach keine Flüssigkeitsaufnahme mehr.*

Blähungen

Johanniskraut *Innerlich:* Pflanzenpreßsaft 3mal täglich 1–2 Eßlöffel, als 14tägige Kur. – Als Tee: Johanniskraut mit Fenchel und Anis, zu gleichen Teilen. – Johanniskrautöl, selbst mit Schwarzkümmelöl angesetzt: Bei Bedarf 2-3mal täglich 1 Teelöffel.

Schwarzkümmel *Äußerlich* – als Kompressen: Bauchwickel auflegen, die mit Apfelessig und Schwarzkümmel getränkt sind.

Innerlich – als Tee: Einen Tee zu gleichen Teilen aus Schwarzkümmel, Fenchel und Pfefferminze kochen. Pro Tasse 3–7 Tropfen Schwarzkümmelöl hinzufügen. Bei Bedarf mit Honig süßen. – Bei schlimmeren Beschwerden – als Tonikum: 2 Teile Apfelessig mit 1 Teil feingemahlenem Schwarzkümmelsamen aufkochen, am Schluß 1 Teil Schwarzkümmelöl dazugeben. 3mal täglich 1 Eßlöffel vor den Mahlzeiten einnehmen.

Blasenentzündung (Zystitis)

(Die Infektion wird häufig durch Erreger aus dem Darm ausgelöst, die durch den Harnleiter in die Blase gelangen, so daß als begleitende Maßnahme deren Bekämpfung wichtig ist.)

Teebaumöl *Äußerlich* – zum Desinfizieren: 10 Tropfen (evtl. mit Kajeput) auf ½ l Wasser, abkochen und abkühlen lassen. Mit einem Wattebausch, möglichst nach jedem Harnlassen, die Öffnung der Harnröhre abreiben. – Als Bad: 8–10 Tropfen regelmäßig dem Badewasser oder Fußbad zusetzen. – Als Massage: 3 Tropfen mit 1 Teelöffel Massageöl (Jojoba- oder Johanniskrautöl) mischen und damit den Unterleib einreiben.

Innerlich – bei chronischem Blasenkatarrh, aber nicht zur Dauerbehandlung: 3mal täglich 2 Tropfen Teebaumöl auf 1 Teelöffel **Manuka**-Honig geben und ½ Stunde vor den Mahlzeiten langsam im Mund zergehen lassen.

Johanniskraut *Innerlich* – als Tee: Mischung mit Schafgarbe oder Schachtelhalm. – Öl, mit Kürbiskernöl angesetzt: 2–3mal täglich 1 Teelöffel. – Mittlere homöopathische Potenzen (D6).

Schwarzkümmel *Äußerlich*: den Unterbauch mit Schwarzkümmelöl einmassieren. *Innerlich*: allgemein viel trinken, z. B. auch mit Honig gesüßten Schwarzkümmeltee.

Blutergüsse s. unter *Wundbehandlung*

Brochitis s. unter *Erkältungskrankheiten (Infektionen der Atemwege)*

Darmparasiten

(z. B. Würmer, Lamblien, Darm- und Leberegel, als Verursacher von vielen, zum Teil auch diffusen körperlichen Beschwerden)

Johanniskraut (Wurmmittel) *Äußerlich*: Den Nabelbereich mit Johanniskrautöl einreiben (besonders gut bei kleinen Kindern). *Innerlich*: 3mal täglich 1 Teelöffel Johanniskrautöl einnehmen. Bei möglicher Stuhlverstopfung durch Abführung von Würmern mit Wermutinktur kombinieren.

Schwarzkümmel *Innerlich*: Regelmäßig 3mal täglich Ölkapseln einnehmen. Abkochung: 2 Teile Apfelessig mit 1 Teil feingemahlenem Schwarzkümmelsamen und 1 Teil Schwarzkümmelöl kochen lassen, bis eine sirupartige Konsistenz erreicht ist. 3mal täglich 1 Eßlöffel vor den Mahlzeiten einnehmen.

Darmpilze s. unter *Pilzinfektionen*

Depressive Verstimmung

Johanniskraut (auch bei Winterdepression, Angstzuständen und in Verbindung mit Beschwerden der Wechseljahre)
Innerlich: 3mal täglich 1–2 Kapseln oder 20–30 Tropfen des flüssigen Extraktes oder 1–2 Eßlöffel Pflanzenpreßsaft; nach 14 Tagen auf die Hälfte der Dosis reduzieren. Längere Einnahmezeit notwendig! – Mittlere homöopathische Potenzen (D6), über längere Zeit. – Als Tee: täglich 3 Tassen Johanniskrauttee, kurmäßig über mehrere Wochen, trinken; 3 Teile Johanniskraut und 2 Teile Melisse und 1 Teil Dost (bei nervösen Zuständen mit depressiver Verstimmung); Johanniskraut, Melisse, Baldrian und Passiflora zu gleichen Teilen (Beschwerden in Verbindung mit den Wechseljahren).

Diabetes mellitus

Teebaumöl *Äußerlich* – zur Behandlung von Diabetes-Gangrän (durch Diabetes bedingtes lokales Absterben von Hautgewebe): Teebaumöl mit Massageöl vermischen und die betroffenen Stellen damit einreiben.
Schwarzkümmel *Innerlich* – Wirkung auf die Senkung des Blutzuckerspiegels und auf allergische Faktoren (durch Stärkung des Immunsystems): über einen längeren Zeitraum 3mal täglich 1–2 Ölkapseln bzw. ½ Teelöffel Öl einnehmen. *Wichtiger Hinweis: Damit keine Unterzuckerung eintritt, ist eine ärztliche Kontrolle der Blutzuckerwerte unbedingt erforderlich!*

Durchfall s. unter *Magen- und Darmerkrankungen*

Entgiftung

Schwarzkümmel *Innerlich* – gegen Erbrechen: Teeaufguß aus 1 Eßlöffel Schwarzkümmelsamen und 1 Teelöffel

Gewürznelken, ungesüßt trinken. Bei anhaltenden Beschwerden mehrmals täglich 1 Ölkapsel bzw. ½ Teelöffel Öl einnehmen.

Entzündungen

Teebaumöl *Äußerlich*: als Zusatz zu Kompressen und Umschlägen.

Johanniskraut *Äußerlich*: Johanniskrautöl bei Wundkompressen und Salbenverbänden. *Innerlich* (bei Schleimhautentzündungen, z. B. von Magen, Gebärmutter und Scheide): Mittlere homöopathische Potenzen (D6).

Siehe auch unter *Hautleiden* und *Wundbehandlung und -heilung*

Erkältungskrankheiten (Infektionen der Atemwege)

Teebaumöl *Äußerlich*: für eine freie Nase ein paar Tropfen direkt auf ein Taschentuch geben oder aufs Kopfkissen sprenkeln. – Zum Gurgeln: 5–10 Tropfen Teebaumöl auf 1 Glas warmes Wasser. – Als Inhalation: 5–10 Tropfen Teebaumöl (auch in Mischung mit Eukalyptus- oder japanischem Pfefferminzöl) in eine Schüssel mit 1 l kochendem Wasser geben und die heißen Dämpfe 10–15 Minuten inhalieren (Kopf unter einem großen Handtuch). Zusätzlich zum Desinfizieren: in der Duftlampe oder im Luftbefeuchter. – Zum Einreiben: Brust und Rücken, Stirn und Nase mit Teebaumöl einreiben. Als Tonikum für das Drüsensystem, zur Stärkung der Abwehrkräfte: je 5 Tropfen Teebaum- und Lavendelöl mit 10 ml Jojoba- oder Johanniskrautöl vermischen und auf die oberen Brustpartien und den Bauch, die Lymphknoten und die Füße auftragen. – Als Bad: 5–10 Tropfen ins Badewasser. Heiße Fußbäder mit ein paar Tropfen Teebaumöl wirken fiebersenkend. Sonst den ganzen Körper mit einem Waschlappen abreiben, der in Wasser mit ein paar Tropfen Teebaumöl getränkt wurde (stärkt das Immunsystem, wirkt antiseptisch, senkt durch Schwitzen das Fieber).

Innerlich – als Hustensirup: 3 Tropfen Teebaumöl auf 1 Eßlöffel **Manuka**-Honig langsam im Mund zergehen lassen.

Johanniskraut *Innerlich* – als Tee: Johanniskraut, mit Honig gesüßt (gegen Husten und Bronchitis); Teemischung aus Johanniskraut, Andorn und Huflattich zu gleichen Teilen (bei starker Verschleimung); Teemischung aus 2 Teilen Johanniskraut, 2 Teilen Lindenblüten und 1 Teil Pfefferminze (bei fiebrigen Grippeinfekten). – Tinktur (40 %): 2–3mal täglich 8–10 Tropfen (bei Bronchialkatarrh und Asthma).

Schwarzkümmel *Äußerlich* – als Inhalation: 1–2 Eßlöffel feingemahlenen Schwarzkümmelsamen (oder ½ Eßlöffel fettes bzw. 5 Tropfen ätherisches Schwarzkümmelöl), evtl. unter Zugabe einer zerdrückten Knoblauchzehe, in einer Schüssel mit 1 l kochendem Wasser übergießen und die Dämpfe 10–15 Minuten inhalieren (Kopf unter einem großen Handtuch). – Vereinfachte Methode (z. B. auf Reisen): Schwarzkümmelsamen in ein Baumwollsäckchen binden, bei Bedarf daran reiben und unter die Nase halten.

Innerlich – als Tee: 1 Eßlöffel Schwarzkümmelsamen und je 1 Teelöffel Süßholz und Anis mit kochendem Wasser überbrühen, 10 Minuten ziehenlassen, durchseihen und mit **Manuka**-Honig gesüßt trinken. – Als Sirup: 1 Teelöffel feingemahlenen Schwarzkümmelsamen mit 1 zerdrückten Knoblauchzehe oder geriebenem Ingwer und 2 Eßlöffeln **Manuka**-Honig vermischen und mehrmals am Tag 1 Teelöffel davon einnehmen.

Erschöpfung, vegetative

Teebaumöl *Nur äußerlich*: 5 Tropfen Teebaumöl und 5 Tropfen Lavendelöl ins Badewasser geben. Wirkt aufbauend und entspannend.

Johanniskraut *Innerlich*: 3mal täglich 1–2 Kapseln oder 10–15 Tropfen der Tinktur oder 1 Eßlöffel Frischpflanzen-Preßsaft, kurmäßig über einige Wochen. – Als Tee: Johanniskraut als „Single-Droge" oder Teemischung aus 2 Teilen Johanniskraut, 2 Teilen Melisse und 1 Teil Rosmarin (bei Erschöpfung und Überarbeitung). Super-Nerventee: Johanniskraut, Goldrute und Melisse zu gleichen Teilen.

Schwarzkümmel *Äußerlich* – als Inhalation: ½ Eßlöffel fettes oder 5 Tropfen ätherisches Schwarzkümmelöl auf 1 l heißes Wasser zum Inhalieren der Dämpfe; dient der allgemeinen Belebung und Anregung des Immunsystems. – Als Bad: 5–8 Tropfen ätherisches Öl, mit etwas Sahne emulgiert, ins Badewasser geben. – Zur Massage: 100 ml Jojoba- oder Macadamianußöl mit 15–20 Tropfen ätherischem Öl vermischen und zur Ganzkörpermassage verwenden.

Innerlich (zur Stabilisierung des Immunsystems): Kurmäßig 2–3mal täglich 1–2 Kapseln bzw. ½ Teelöffel Schwarzkümmelöl einnehmen.

Gallen- und Lebererkrankungen

Johanniskraut *Innerlich* – Johanniskrautöl: Bei Gallenkoliken täglich 2–3 Teelöffel einnehmen. – Als Tee: Täglich 2–3 Tassen Johanniskrauttee trinken (bei Neigung zu Gallekoliken); Johanniskraut und Aloe im Verhältnis 1:1 mischen (als Leber/Galle-Tee); Teemischung aus Johanniskraut, Schafgarbe, Schachtelhalm und Wegwartenkraut (mit Wurzel) zu gleichen Teilen (bei Gallensteinen). Für die Leber: Morgens 1 Tasse Johanniskraut-Singletee oder in Kombination mit Schöllkraut und Enzian (schützend); Mischung aus Johanniskraut und Schafgarbe (anregend); Mischung aus Johanniskraut, Wermut und Salbei (stärkend).

Schwarzkümmel (zur Steigerung der Gallensekretion) *Innerlich*: Täglich 2–3 Teelöffel Schwarzkümmelöl einnehmen oder 2–3 Tassen Tee aus Schwarzkümmelsamen trinken.

Teebaumöl *Äußerlich* – zur Massage: Teebaumöl, vermischt mit etwas Hautöl (z.B. erwärmtes Mandel-, Jojoba- oder Johanniskrautöl)), bei akut oder chronisch entzündeten Gelenken tief in die schmerzenden Stellen einmassieren. Für einen kleinen Vorrat: 30 Tropfen Öl auf 50 ml Trägeröl verwenden. Teebaumöl kann hierfür gut mit Lavendel-, Majoran- oder Rosmarinöl gemischt werden. – Als Bad: 8–10 Tropfen als Zusatz zum Badewasser.

Johanniskraut *Äußerlich* – Johanniskrautöl, mit Hanföl angesetzt, zum Einreiben (auch bei Muskelzerrungen und Prellungen, Verrenkungen und Verspannungen, v. a. im Rückenbereich).

Schwarzkümmel *Äußerlich*: Die schmerzenden Stellen 2mal täglich mit erwärmtem Schwarzkümmelöl massieren.

Siehe auch unter *Wundbehandlung und -heilung*

Grippale Infekte s. unter *Erkältungskrankheiten (Infektionen der* Atemwege)

Hämorrhoiden

Teebaumöl *Äußerlich* – zum Einreiben: Unverdünnt oder mit etwas Öl vermischt auftragen. Besonderes Rezept: 4 Tropfen Teebaum- oder **Kanuka**-Öl und 4 Tropfen Zypressenöl mit 10 ml Johanniskrautöl vermischen. – Als Bad: 10 Tropfen Teebaumöl auf ein warmes Sitzbad geben.

Johanniskraut *Äußerlich*: Mit der Urtinktur oder homöopathischen D1-Potenz vorsichtig betupfen. *Innerlich:* Täglich 1 Schnapsglas Johanniskraut-Tinktur trinken (3 Handvoll frische Blüten auf ½ l Branntwein).

Schwarzkümmel *Äußerlich*: Schwarzkümmelsamen in einer Eisenpfanne oder direkt auf der Herdplatte zu *Schwarzkümmelasche* verbrennen. Entweder direkt oder im Verhältnis 1:1 mit Schwarzkümmelöl vermischt auf die betroffenen

Stellen auftragen. – Als Sitzbad: 15 ml Schwarzkümmelöl auf 1 l Wasser.

Halsentzündung (Angina)

Teebaumöl *Äußerlich*: 5 Tropfen auf 1 Glas warmes Wasser, 2mal täglich gründlich gurgeln, auch zur Vorbeugung. *Innerlich*: 3 Tropfen auf 1 Teelöffel **Manuka**-Honig, langsam im Mund zergehen lassen; als Zusatz zu Säften aus Zitrusfrüchten (hoher Vitamin C-Gehalt).

Hautleiden

Teebaumöl *Nur äußerlich*
Akne/Pusteln: Am 1. Tag der Behandlung 3–4mal täglich Teebaumöl unverdünnt (oder in verdünnter Form) mit dem Finger oder einem Wattestäbchen auf die betroffenen Hautstellen auftragen. An den nächsten Tagen 2–3mal wiederholen. Zum Waschen 3–6 Tropfen in warmes Wasser geben. Zusätzlich Teebaumseife und eine antiseptische nichtfettende Hautcreme oder Feuchtigkeitslotion mit Teebaumölzusatz verwenden bzw. den eigenen Pflegeprodukten ein paar Tropfen Teebaumöl zusetzen.
Furunkel und Abszesse: Die betroffenen Hautstellen vorsichtig reinigen und 2–3mal täglich mit Teebaumöl bestreichen, zur Desinfizierung auch im bereits geöffneten Zustand. – Als Kompresse oder Umschlag: Teebaumöl mit warmem Wasser vermischen, ein Stück Mull darin tränken und mehrere Stunden auf das Furunkel auflegen. – Als Heilpackung: Heilerde, mit etwas warmem Wasser und ein paar Tropfen Teebaumöl vermischt, auf die betroffene Stelle auftragen und nach ½ –1 Stunde abspülen.
Dermatitis und Ekzeme: Je nach Erfahrung (Test!) unverdünnt oder im Verhältnis 1:10 mit einem hochwertigen Hautöl (Mandel, Jojoba) auftragen.

Neurodermitis: Möglichst unverdünnt auftragen. Andernfalls nicht mit einem fetten Körperöl mischen, sondern in etwas Milch als Emulgator auflösen und dann mit Wasser verdünnen. (Teebaumöl lindert bei dieser „multiplen Allergie" besonders den Juckreiz und damit das Aufkratzen und die Gefahr weiterer Entzündung).

Psoriasis (Schuppenflechte): Je 10 Tropfen Teebaum-, Kajeput- und Myrrhenöl mit 100 ml gutem Hautöl mischen oder eine Mischung aus je 10 Tropfen **Manuka**-, Lavendel- und Bergamotteöl auf 100 ml Trägeröl. 2mal täglich damit einreiben.

Herpes (Bläschenausschlag): Teebaumöl direkt auf die Bläschen auftragen, bei besonders großer Entzündungsgefahr Wattestäbchen verwenden.

Hautpilz (Soor und Candida): Auf die gründlich gereinigten Stellen 2mal täglich direkt oder in verdünnter Lösung auftragen.

Johanniskraut
Äußerlich

Bei unreiner, schuppiger Haut und Schrunden: Betroffene Hautstellen mit Johanniskrauttinktur abtupfen und/oder mit Johanniskrautöl einreiben. Läßt sich sehr gut mit einigen Tropfen ätherischem Teebaum- oder Lavendelöl anwenden. Auch für die Nachbehandlung von Akne und Seborrhoe geeignet.

Bei wunden Stellen (z. B. durch Wundliegen): Sehr gute Kombination von Johanniskraut mit Arnika und Ringelblume (auch als fertige Salbenmischungen).

Furunkel und Geschwüre: Johanniskraut vorsichtig tief in das Gewebe einmassieren.

Juckende Hautausschläge (Urtikaria und Psoriasis): Je nach Verträglichkeit mit Johanniskrautöl oder Tinktur behandeln.

Erythemata (Hautrötungen) und Sonnenbrand: Die betroffenen Hautstellen mit Johanniskrautöl einreiben. Die sich zunächst verstärkende Rötung geht rasch zurück. Nicht in die Sonne gehen!

Herpes (Bläschenausschlag), auch *Herpes zoster (Gürtelrose)*: Vorsichtig mit Johanniskrautöl oder stark verdünnter Tinktur betupfen. Bläschen mit ölgetränkter Kompresse bedecken.

Innerlich
Bei entzündlichen und allergischen Hautleiden, Psoriasis und Herpes: Zur Unterstützung mittlere homöopathische Potenzen (ab D6 und höher).

Schwarzkümmel
Äußerlich
Bei Akne, Dermatitis, Ekzemen, Hauptpilz etc.

1. 1 Teil zu Pulver gemahlenen Schwarzkümmelsamen mit 2 Teilen Apfelessig gut miteinander vermischen und 6 Stunden ziehenlassen. Durchfiltern und nochmals 24 Stunden stehenlassen. Die überstehende Flüssigkeit abgießen und den Bodensatz im Verhältnis 1:1 mit Schwarzkümmelöl vermischen. Mehrmals täglich auftragen.

2. Das obige Rezept erweitern und den Bodensatz im Verhältnis 4:2:1 mit Heilerde und Apfelessig vermischen. Unter Rühren etwa 2–3 Minuten erhitzen. Vor dem Auftragen auf die Haut (am besten über Nacht) im Verhältnis 1:1 mit Schwarzkümmelöl mischen.

3. 2 Teile Apfelessig mit 1 Teil zu Pulver gemahlenem Schwarzkümmelsamen erhitzen und mit 1 Teil Mais- oder Kartoffelstärke andicken. Mehrmals täglich auftragen.

Sofern die Haut, z. B. bei allergischen Hautentzündungen, Fett (Öl) verträgt, kann auch Schwarzkümmelöl pur vorsichtig einmassiert werden.

Gesichtsdampfbäder: 1–2 Eßlöffel Schwarzkümmelsamen (oder ½ Eßlöffel fettes bzw. 5 Tropfen ätherisches Schwarzkümmelöl) in einer Schüssel mit 1 l heißem Wasser übergießen und die Dämpfe 10 Minuten auf die Gesichtshaut einwirken lassen. Mindestens 1mal täglich wiederholen.

Innerlich
Bei Ekzemen und Neurodermitis: Zur Umstimmung des Immunsystems 2–3mal täglich 1–2 Kapseln oder ½ Teelöffel Schwarzkümmelöl einnehmen.

Heuschnupfen

Teebaumöl *Äußerlich* – zum Inhalieren: Eine Mischung aus 40 Tropfen Teebaumöl (falls erhältlich, jeweils 20 Tropfen **Manuka**- und **Kanuka**-Öl) mit 20 Tropfen Zypressen- und 20 Tropfen Zedernöl herstellen. Davon 5–8 Tropfen in eine Schüssel mit heißem Wasser oder in die Duftlampe geben. *Innerlich*: 1 Tropfen Teebaumöl in **Manuka**-Honig langsam im Munde zergehen lassen. Als Sirup 2mal täglich einnehmen, maximal 14 Tage.
Schwarzkümmel *Äußerlich*: 1–2 Eßlöffel Schwarzkümmelsamen bzw. ½ Eßlöffel Schwarzkümmelöl in eine Schüssel mit 1 l heißem Wasser geben. Mehrmals am Tag inhalieren (Kopf unter einem großen Handtuch). – Vereinfachte Methode (z. B. auf Reisen): Schwarzkümmelsamen in ein Baumwollsäckchen binden, bei Bedarf daran reiben und unter die Nase halten.
Innerlich: Zur Vorbeugung möglichst einige Monate vor Beginn des Pollenflugs bis zum Frühjahr/Sommer Schwarzkümmel (2–3mal täglich 1 Kapsel bzw. ½ Teelöffel Öl) einnehmen, als Höchstdosis in der Pollenflugzeit 2–3mal täglich 1–2 Kapseln bzw. 1 bis max. 2 Teelöffel.

Herzbeschwerden, nervös bedingte

Johanniskraut *Innerlich*: 3mal täglich 1–2 Kapseln oder 5–10 Tropfen der Tinktur oder 1–2 Eßlöffel des frischen Preßsaftes mittags und abends. – Als Tee: Johanniskraut pur oder in der Mischung mit Melisse oder Weißdorn oder Mistel. – Mittlere homöopathische Potenzen (D6). – Bei Herzbeschwerden vom Magen herrührend (Gastrokardinaler Symptomenkomplex): 6–8 Tropfen des flüssigen Extraktes auf Zucker oder in etwas Wasser einnehmen.

Husten und Heiserkeit

Teebaumöl *Äußerlich* – zum Gurgeln: Je 3 Tropfen Teebaum-, Salbei und Thymianöl auf 1 Glas warmes Wasser; täglich mindestens 1mal gründlich gurgeln. – Als Inhalation: 10 Tropfen Teebaumöl in eine Schüssel mit 1 l heißem Wasser zum Inhalieren geben (Kopf unter einem großen Handtuch). Vor dem Schlafengehen das Kopfkissen mit Teebaumöl beträufeln. – Zum Einreiben: Brust und Rükken (Nieren!) mit Teebaumöl oder einer Mischung aus jeweils 10 Tropfen Teebaum- und Kiefernnadelöl (**Manuka** und **Kanuka**, falls erhältlich) auf 50 ml Johanniskrautöl einreiben; außer Brust und Nierenbereich auch die Lymphknoten und die Füße leicht damit massieren.
Innerlich: Bei hartnäckigem Hustenreiz (nur gelegentlich) 3 Tropfen Teebaumöl auf 1 Eßlöffel **Manuka**-Honig träufeln und langsam im Mund zergehen lassen.
Johanniskraut *Innerlich* – als Tee: Johanniskraut, mit Honig gesüßt (schleimlösend).
Schwarzkümmel *Äußerlich*: 1–2 Eßlöffel Schwarzkümmelsamen bzw. ½ Eßlöffel Schwarzkümmelöl in eine Schüssel mit 1 l kochendem Wasser geben und 10–15 Minuten die heißen Dämpfe inhalieren (Kopf unter einem großen Handtuch). – Vereinfachte Methode (z. B. auf Reisen): Schwarzkümmelsamen in ein Baumwollsäckchen binden, bei Bedarf daran reiben und unter die Nase halten.
Innerlich – als Tee: 3 Teile Schwarzkümmel, 2 Teile Süßholz und 1 Teil Anis mit kochendem Wasser überbrühen, 10 Minuten ziehenlassen und mit **Manuka**-Honig gesüßt trinken. – Als Sirup: 1 Teil ganz fein gemahlenen Schwarzkümmelsamen und 1 zerdrückte Knoblauchzehe bzw. die entsprechende Menge geriebenen Ingwer mit 2 Teilen **Manuka**-Honig vermischen. Über längere Zeit morgens 1 Teelöffel von diesem Sirup einnehmen.

(bei allgemeiner Infektanfälligkeit, akut und vorbeugend, sowie bei Belastung durch Computerarbeit und Bildschirmstrahlung)

Teebaumöl *Nur äußerlich*
Bad: 2mal wöchentlich ein warmes Bad mit einem Zusatz von 8–10 Tropfen Teebaumöl.

Massage: 1mal wöchentlich Ganzkörpermassage mit Teebaum-Massageöl in 5%iger Verdünnung oder täglich die Handflächen und die Fußsohlen kräftig damit einreiben.

1. Rezept für ein Lymphdrüsen-Tonikum: 10 Tropfen Teebaumöl oder jeweils 5 Tropfen Teebaum- und Lavendelöl mit 10 ml Hautöl vermischen. Sanft in die Lymphdrüsenknoten am Hals einmassieren.
2. Rezept: Jeweils 7 Tropfen Teebaum-, Lavendel- und Bergamotteöl sowie 4 Tropfen Sandelholzöl mit 50 ml Johanniskrautöl mischen. Sehr gut zum Einreiben der Lymphknoten im Halsbereich, des Nackens, der oberen Brustregion und des Sonnengeflechts bis zur Leistengegend.

Duftlampe: regelmäßig eine Mischung aus Teebaumöl mit z. B. Lavendel-, Bergamotte- und Sandelholzöl verbrennen.

Europäische „Maori-Mischung": Sofern man **Manuka**- und **Kanuka**-Öl findet, kann man dies (ebenfalls mit Lavendel- und einem Zitrusöl) entweder dem Massageöl beimischen oder in der Duftlampe verbrennen.

Schwarzkümmel *Äußerlich* – als Inhalation: 2mal täglich mit ½ Eßlöffel fettem Schwarzkümmelöl (oder 5 Tropfen ätherischem Öl) auf 1 l Wasser inhalieren. – Als Bad: ½ Eßlöffel fettes oder 5–8 Tropfen ätherisches Schwarzkümmelöl mit 1 Eßlöffel Sahne (als Emulgator) ins Badewasser geben. – Zur Massage: 15–20 Tropfen ätherisches Schwarzkümmelöl mit 100 ml Hautöl oder Körperlotion vermischen.

Innerlich: Über einen längeren Zeitraum 2–3mal täglich 1–2 Kapseln bzw. ½ –1 Teelöffel Schwarzkümmelöl einnehmen.

Konzentrationsschwäche

Teebaumöl *Äußerlich* – in der Duftlampe (am Arbeitsplatz): Teebaumöl mit einem entspannenden Zitrusduft und Lavendel.

Johanniskraut *Äußerlich*: Stirn und Schläfen mit Johanniskrautöl, vermischt mit je 1 Tropfen ätherischem Lavendel- und Teebaumöl, einreiben. *Innerlich* – als Tee: Johanniskraut zu gleichen Teilen mit Rosmarin. – Weitere Einnahmeempfehlungen wie bei vegetativer Erschöpfung und Störungen des nervlichen Gleichgewichts.

Schwarzkümmel *Innerlich*: 2–3mal täglich ½ –1 Teelöffel Schwarzkümmelöl oder 1–2 Kapseln. Gewürzpulvermischung: Je 1 Teil feingemahlenen Schwarzkümmelsamen, Anissamen und Gewürznelkenpulver mischen. Vor den Mahlzeiten davon 1 Teelöffel ohne Flüssigkeit einnehmen und solange einspeicheln, bis sich das Pulver hinunterschlucken läßt. *Äußerlich* – in der Duftlampe: 5 Tropfen ätherisches Schwarzkümmelöl, vermischt mit Lavendel und einem Zitrusduft, verwenden.

Kopfschmerzen

Teebaumöl *Äußerlich*: Mit Teebaum- und Lavendelöl, evtl. mit Wasser verdünnt, die Schläfen bestreichen. Zur Weiterbehandlung mit Johanniskrautöl vermischen und damit die Hals- und Nackenpartien sanft massieren. – Duftlampe: Mischung aus 5 Tropfen Teebaum- mit 3 Tropfen Lavendelöl und je 1 Tropfen ätherischem Zitronen- und Muskatellersalbeiöl.

Johanniskraut
(vor allem bei nervös oder hormonell bedingten Kopfschmerzen)
Äußerlich: Johanniskrautöl, evtl. mit ein paar Tropfen Teebaum- und Lavendelöl, sanft in die Schläfen, Hals- und Nakkenpartien einreiben. *Innerlich*: 3mal täglich 1–2 Kapseln oder 5–10 Tropfen des flüssigen Extraktes oder 1–2 Eßlöffel des

frischen Preßsaftes einnehmen. Sehr gute Wirksamkeit im Wechsel mit Schwarzkümmelöl. – Als Tee: Johanniskraut pur oder in der Mischung mit Benediktenkraut.

Schwarzkümmel *Nur innerlich*
(vor allem bei hormonbedingten Kopfschmerzen, auch Migräne): 1 Teil feingemahlenen Schwarzkümmelsamen, 1 Teil Anissamen, ebenso gemahlen, und 1 Teil Gewürznelkenpulver vermischen. Vor den Mahlzeiten 1 Teelöffel davon einnehmen und solange einspeicheln, bis sich das Pulver hinunterschlucken läßt (also nicht mit Wasser einnehmen!). – Zur längerfristigen Behandlung und Umstimmung des Hormonsystems 2–3mal täglich 1–2 Kapseln bzw. ½ Teelöffel Öl einnehmen.

Krampfadergeschwüre

Teebaumöl *Nur äußerlich*: Baden der offenen Wundstelle in warmem Wasser mit Zusatz von einigen Tropfen Teebaumöl (evtl. vorher in Milch oder Sahne als Emulgator aufgelöst). Das Bein danach mit einer Kompresse oder Binde umwickeln, die mit einer Lösung aus 3 Teilen Olivenöl und 1 Teil Teebaumöl getränkt ist. Bringt rasche Abheilung. – Als vorbeugende Maßnahme eine teebaumölhaltige Lotion (Anteil 10 %) anwenden (entspricht ca. 20 Tropfen Teebaumöl auf 1 Eßlöffel Feuchtigkeitslotion).

Schwarzkümmel *Nur äußerlich*: Schwarzkümmelsamen in einer Eisenpfanne verglühen lassen und mit Hennafett zu einer Paste verrühren. Auf die gut gereinigten Beinpartien auftragen und nach dem Antrocknen mit einem sterilen Verband umwickeln. 1–2mal täglich erneuern.

Magen- und Darmerkrankungen

Johanniskraut
(bei nervösem Reizmagen, Magen-Darm-Katarrh, Magenschleimhautentzündung und Magengeschwüren)

Äußerlich: Bei Bauchschmerzen den gesamten Bereich des Sonnengeflechts sanft mit Johanniskrautöl einreiben. *Innerlich* – Johanniskrautöl, mit Schwarzkümmelöl angesetzt: Bei Bauchschmerzen 3mal täglich 5–10 Tropfen Johanniskrautöl pur oder (evtl. bei Kindern) in 1 Eßlöffel Milch nehmen oder auf etwas Zucker tropfen. Bei Koliken und Krämpfen die Dosis auf 2–3 Teelöffel pro Tag erhöhen. – Bei nervösen Magen-Darm-Störungen: Jeden Morgen einige Tropfen Johanniskrautöl mit 1 Teelöffel Honig einnehmen und gut eingespeichelt hinunterschlucken. Als Tinktur (50 %): 2–3mal täglich 8–10 Tropfen. Mit derselben Indikation wird eine 14tägige Kur mit frischem Pflanzenpreßsaft, 3mal täglich 1–2 Eßlöffel, empfohlen. – Als Tee: Bei nervösem Magen täglich etwa 3 Wochen vor jeder Mahlzeit 1 Tasse Johanniskrauttee trinken. Bei nervösem Magen mit Durchfällen: Johanniskraut und Schafgarbe im Verhältnis 1:1. Gegen Blähungen: Johanniskraut, Fenchel und Anis. Zur Magenstärkung: Johanniskraut, Wermut und Salbei oder Tausendgüldenkraut.

Schwarzkümmel *Äußerlich*: Morgens und abends warme bis heiße Bauchwickel, die mit einer Mischung aus pulverisiertem Schwarzkümmelsamen (oder einigen Tropfen Schwarzkümmelöl) und Apfelessig getränkt sind.

Innerlich: Morgens und abends je 1 Eßlöffel Schwarzkümmelsamen oder etwas Öl einnehmen. – Bei Sodbrennen, Völlegefühl, Durchfall und Verstopfung: In 1 Tasse warmer Milch 2 Teelöffel Schwarzkümmelöl verrühren und mit 1 Eßlöffel Honig süßen.

Menstruationsbeschwerden

Johanniskraut *Äußerlich*: Bei krampfartigen Menstruationsschmerzen den Bauchbereich sanft mit Johanniskrautöl massieren oder eine Kompresse auflegen. *Innerlich*: Etwa 1 Woche vor dem Einsetzen der Regel vorbeugend mit der Einnahme von Johanniskraut beginnen (Kapseln oder flüssiger Extrakt). – Als Tee: Johanniskraut pur oder bei zu schwacher Menstruation zu gleichen Teilen gemischt mit Frauenmantel oder Schafgarbe oder Beifuß. – Bei schmerzhafter Menstruation zusammen oder abwechselnd mit Misteltee; oder Johanniskraut zu gleichen Teilen gemischt mit Andorn, Tausendgüldenkraut, Thymian und Ysop. – Bei zu starker Menstruation (blutstillend): Johanniskraut und Schafgarbe. – Bei Blutungen in den Wechseljahren: Tee aus Johanniskraut und Mistelzweigen.

Schwarzkümmel *Äußerlich*: ½ Eßlöffel fettes oder 5–8 Tropfen ätherisches Schwarzkümmelöl auf 1 l heißes Wasser zum Auflegen als Kompresse. *Innerlich*: Je 1 Teil Schwarzkümmelsamen, Aniskörner und Gewürznelken, alles feingemahlen oder pulverisiert, miteinander vermischen. Vor den Mahlzeiten 1 Teelöffel dieses Pulvers solange im Mund einspeicheln, bis es hinuntergeschluckt werden kann. – Zur längerfristigen Behandlung und Umstimmung des Hormonsystems 1–2mal täglich 1–2 Kapseln bzw. ½ Teelöffel Öl einnehmen.

Mund

Teebaumöl *Nur äußerlich*
Antiseptische Mundspülung: 2–3 Tropfen Teebaumöl mit etwas Kamillenöl mischen und in warmem Wasser auflösen; mehrmals täglich anwenden. – 3 Tropfen Teebaumöl mit 1 Tropfen japanischem Pfefferminzöl und 1 Tropfen Thymianöl in etwas warmer Milch auflösen und dann mit ½ Glas warmem Wasser verdünnen.

Mundgeschwüre (auch gegen Mundgeruch): Mit 3–5 Tropfen Teebaumöl in warmem Wasser 2–3mal täglich gurgeln. Zum Desinfizieren einige Tropfen direkt auf die Zahnbürste geben.

Lippenbläschen (durch Herpes-Viren): Die Bläschen 3mal täglich mit dem reinen Öl abtupfen, bei besonderer Entzündungsgefahr Wattestäbchen verwenden.

Soor (Pilzbelag im Mund)): Mit verdünntem Teebaumöl die Mundhöhle auspinseln oder gurgeln.

Hierbei besonders auf gute biologische Qualität (kbA) ohne hochtoxisches Cineol achten.

Johanniskraut *Äußerlich*: Bei Stomatitis (Entzündung der Mundschleimhaut) mit verdünnter Johanniskrauttinktur gurgeln. *Innerlich*: Homöopathische Tiefpotenz (D1).

Schwarzkümmel *Nur äußerlich*
„Ölschlürfen" mit Schwarzkümmelöl zur Reinigung der Mundhöhle (das Öl danach unbedingt aussprucken!).

Nase und Nasennebenhöhlen (Rhinitis und Sinusitis)

Teebaumöl *Nur äußerlich*
Verstopfte Nase und Sinusitis: 5–10 Tropfen Teebaumöl in eine Schüssel mit 1 l heißem Wasser geben und die Dämpfe ca. 15 Minuten inhalieren (Kopf unter einem großen Handtuch). – Bei Sinusitis Teebaumöl pur in die Haut an den Schläfen, der Nase und den Wangen einreiben.

Unterstützend 8–10 Tropfen Teebaumöl ins Badewasser geben sowie (in Kombination mit Eukalyptus-, Pfefferminz- und Niaouli-Öl) in der Duftlampe verwenden.

Geschwüre in der Nasenschleimhaut: Heiße Dämpfe inhalieren oder Teebaumöl direkt mit einem Wattestäbchen auftupfen.

Schwarzkümmel *Äußerlich*: 1–2 Eßlöffel Schwarzkümmelsamen bzw. ½ Eßlöffel Schwarzkümmelöl mit 1 l kochendem Wasser überbrühen und 15 Minuten lang die heißen Dämpfe inhalieren (Kopf dabei unter einem großen Handtuch). Äußerst wirksam, da sekretlösend. – Vereinfachte Methode (z. B. auf Reisen): Schwarzkümmelsamen in ein Baumwollsäckchen binden, bei Bedarf daran reiben und unter die Nase halten.

Innerlich: Äußerliche Behandlung unterstützen durch Schwarzkümmeltee und die Einnahme der Ölkapseln.

Nervosität (vegetative Dystonie)

Johanniskraut *Innerlich*: Bei Störungen des nervlichen Gleichgewichts 2–3mal täglich 1–2 Kapseln oder 10–15 Tropfen der Tinktur oder 10–15 Tropfen Johanniskrautöl oder 1 Eßlöffel frischen Pflanzenpreßsaft kurmäßig über einige Wochen einnehmen. – Mittlere homöopathische Potenz (D6). – Als Tee: 1 Tasse Johanniskrauttee, mit 1 Eßlöffel Honig gesüßt, vor dem Schlafengehen. – Super-Nerventee (zur Beruhigung): Johanniskraut, Goldrute und Melisse. – Nervenstärkender Tee (bei Überarbeitung und Erschöpfung): Mischung aus je 2 Teilen Johanniskraut und Melisse und 1 Teil Rosmarin.

Siehe auch unter *Depressive Verstimmung*

Neuralgien (Nervenschmerzen)

(Nervenentzündungen; Trigeminus, Migräne, Ischias, Steißbeinneuralgie; Lähmungen und Taubheitsgefühl)

Äußerlich: Vor allem bei Gesichtsneuralgien und Nervenschmerzen im Rücken, in den Armen und Beinen mit Johanniskrautöl (mit Sesamöl angesetzt) einreiben. – Urtinktur, auch gut im Wechsel mit Arnikatinktur oder -salbe.

Innerlich: Mehrmals täglich 1 Teelöffel frischen Pflanzenpreßsaft, mit Wasser oder Kamillentee verdünnt, einnehmen.

Bei Trigeminusneuralgie: Die betroffene Hautpartie regelmäßig mit Johanniskrautöl einreiben, unterstützt durch längere Johanniskraut-Teekur.

Bei posttraumatischen Prozessen nach Verletzungen und Nervenschädigung durch Traumen: Tiefe bis mittlere homöopathische Potenzen (D1 bis D6).

Nierenleiden

Johanniskraut *Innerlich* – gegen Nierensteine: Morgens nüchtern 1–2 Teelöffel Johanniskrautöl (mit Kürbiskernöl angesetzt) 14 Tage lang vom Vollmond an bei abnehmendem Mond einnehmen, ab dem Neumond 14 Tage Pause machen. – Nierentee: Täglich 2–3 Tassen Johanniskrauttee pur oder im Verhältnis 1:1 mit Schafgarbe oder Zinnkraut gemischt (auch kurmäßig oder vorbeugend).

Schwarzkümmel *Äußerlich*: Nierenwickel aus feingemahlenem Schwarzkümmelsamen, mit erwärmtem Olivenöl vermischt, auflegen.

Innerlich: 1 Teelöffel feingemahlener Schwarzkümmelsamen (oder ½ Teelöffel Öl), 1 zerdrückte Knoblauchzehe und 2 Eßlöffel Honig vermischen und jeweils vor den Mahlzeiten 1 Teelöffel einnehmen.

Ohrenschmerzen

Teebaumöl *Nur äußerlich*: Einige Tropfen Teebaumöl mit 1 Eierbecher erwärmtem Olivenöl vermischen und ins Ohr träufeln bzw. den Gehörgang mit einem Wattestäbchen betupfen. Auf gar keinen Fall unverdünnt anwenden! Bei längeren Beschwerden etwas Watte mit der Mischung tränken und in den Gehörgang hineinlegen. Etwas Teebaumöl, mit einem Trägeröl verdünnt, hinter dem Ohr einreiben.

Schwarzkümmel *Nur äußerlich*: Einige Tropfen Schwarzkümmelöl direkt in den Gehörgang träufeln und etwas Öl hinter dem Ohr einmassieren. – Oder: Schwarzkümmelsamen in erhitztem Schwarzkümmelöl ausbacken und abseihen. Diesen Ölsud in die Ohren streichen.

Pilzinfektionen

Teebaumöl *Nur äußerlich*

Soor (Pilzbelag im Mund): Mit verdünntem Teebaumöl die Mundhöhle auspinseln oder gurgeln.

Hierbei besonders auf gute biologische Qualität (kbA) ohne hochtoxisches Cineol achten.

Haut- und Fußpilz: Auf die gründlich gewaschene und abgetrocknete Stelle 2mal täglich Teebaumöl direkt auftragen (auch mit der verdünnten Lösung möglich).

Vaginalpilz: Einen mit Teebaumöl getränkten Tampon in die Scheide einführen. – Für eine Scheidenspülung 20–30 Tropfen Teebaumöl (zum Emulgieren in warmer Milch auflösen) mit ½ l erwärmtem destilliertem Wasser vermischen.

Generell bei Verdacht auf *Candida*-Infektion (auch im Darm) regelmäßig 1 Teelöffel Teebaumöl ins Badewasser geben und mit 3 Tropfen Teebaumöl auf ½ Glas warmes Wasser regelmäßig gurgeln.

Hierbei besonders auf gute biologische Qualität (kbA) ohne hochtoxisches Cineol achten.

Siehe auch unter *Scheide, Entzündung der*

Schwarzkümmel *Äußerlich* (bei Hautpilz): 2 Teile Apfelessig mit 1 Teil feingemahlenem Schwarzkümmelsamen aufkochen und 1 Teil Heilerde (oder Stärkemehl) unterrühren. 2mal täglich auf die betroffenen Hautstellen auftragen.

Innerlich: 2 Teile Apfelessig mit 1 Teil sehr feinem Schwarzkümmelsamen und 1 Teil Schwarzkümmelöl zu siruparteiger Konsistenz einkochen und 3mal täglich 1 Eßlöffel vor den Mahlzeiten einnehmen.

Rheumatische Beschwerden und Ischias

Teebaumöl *Nur äußerlich*: Ein paar Tropfen Teebaumöl mit einem guten kaltgepreßten Trägeröl mischen und erwärmen; besonders geeignet ist Johanniskrautöl. Auf die schmerzenden Körperstellen auftragen. Erhöht nachhaltig die Beweglichkeit. Gute Verwendung zusammen mit ätherischem Lavendel-, Majoran- und Rosmarinöl. – Als Bad: 8–10 Tropfen Teebaumöl, zur Entspannung mit Lavendel gemischt, dem Badewasser zusetzen. – Als Kompresse: Ein Tuch in warmes Wasser tauchen, ausdrücken und ein paar Tropfen Teebaumöl aufträufeln. Auf die schmerzende Stelle legen.

Johanniskraut *Nur äußerlich*: Johanniskrautöl zu Einreibungen verwenden; evtl. Teebaumöl (s. o.) und andere ätherische Öle hinzufügen. – Salbenmischung: Johanniskraut und Aloe.

Scheidenentzündung

(Entzündungen können durch Pilzinfektionen, Bakterien- oder Parasitenbefall hervorgerufen sein, wobei die Richtlinien für die Behandlung weitgehend übereinstimmen.)

Teebaumöl *Nur äußerlich*

Scheidenregion nicht mehr mit Seife waschen, sondern ein paar Tropfen Teebaumöl ins Waschwasser geben.

Scheidenspülung oder Tampon: 10 Tropfen Teebaumöl, in etwas warmer Milch als Emulgator aufgelöst, mit ½ l gereinigtem oder destilliertem Wasser gut verrühren und mit dieser Lösung eine Scheidenspülung machen oder einen damit getränkten Tampon einführen.

Dosierung für eine Vaginaldusche: 5 ml Teebaumöl auf ½ l Wasser. Es kann ein leichtes Prickeln auftreten, darf aber nicht brennen.

Sitzbad: Zusätzlich 10 Tropfen Teebaumöl in das Badewasser geben.

Massage: Jeweils 10 Tropfen Teebaumöl, 10 Tropfen Lavendel- und Muskatellersalbeiöl mit 50 ml Johanniskrautöl vermischen. Einmal täglich in die Scheide einmassieren.

Schwarzkümmel *Nur äußerlich*: Scheidenregion mit hochverdünntem ätherischem Schwarzkümmelöl (5 Tropfen auf 2 l Wasser) reinigen oder Sitzbad machen.

„Aromatampon": 10 Tropfen ätherisches Schwarzkümmelöl mit 30 ml Jojobaöl gut vermischen. Tampon damit tränken und einführen; mehrmals täglich wechseln.

Schlafstörungen

Teebaumöl/Manuka *Äußerlich*: 2 Tropfen Teebaum- bzw. Manukaöl und 5 Tropfen Lavendelöl mit 10 ml Johanniskrautöl vermischen und vor dem Schlafengehen Lenden- und Bauchbereich damit massieren.
Innerlich: 2 Teile Apfelessig, 2 Teile Manuka-Honig und 1 Tasse Wasser miteinander vermischen und vor dem Schlafengehen davon ¼ Tasse trinken.

Johanniskraut *Innerlich* – als Tee: 2–3 Tassen Johanniskrauttee über den Tag verteilt trinken oder 1 Tasse, mit Honig gesüßt, vor dem Schlafengehen. – Super-Schlaftee-Mischung: Johanniskraut, Baldrianwurzel und Hopfenfruchtzapfen zu gleichen Teilen; oder 2 Teile Johanniskraut, 2 Teile Baldrian und 1 Teil Lavendel (zur Geschmacksverbesserung). – Weitere Einnahmeempfehlungen (Kapseln, Tropfen, Pflanzenpreßsaft oder homöopathische Potenz D6) wie unter „Nervosität" angegeben.

Schwarzkümmel *Innerlich*: Aus 1 Tasse Schwarzkümmelsamen auf 1 l kochendes Wasser einen starken Tee zubereiten. Vor dem Frühstück auf nüchternen Magen und am Abend 1–2 Stunden nach der letzten Mahlzeit trinken.

Tumoren

Schwarzkümmel (Krebs-Vorbeugung durch Stimulierung der Knochenmarkszellen und Zerstörung von Mikroorganismen und Tumorzellen) *Innerlich*: 2–3mal täglich 1–2 Kapseln bzw. ½ Teelöffel Schwarzkümmelöl in Langzeittherapie.

Wundbehandlung und -heilung

Teebaumöl *Nur äußerlich*
Bei Prellungen und Verstauchungen (wirkt schmerzlindernd, abschwellend und beschleunigt die Heilung): Eini-

ge Tropfen Teebaumöl direkt auf die betroffene Stelle geben. – Als Kompresse: Ein Tuch in kaltes Wasser tauchen, gut ausdrücken und mit 3–5 Tropfen Teebaumöl beträufeln. Als Kompresse auflegen.

Bei offenen Wunden, Schnittwunden und Hautabschürfungen (wirkt desinfizierend, antiseptisch und schmerzlindernd): Teebaumöl direkt oder in einer Verdünnung von 1:10 mit Mandelöl auftragen. – Mit einer 10%igen Teebaum-Lösung auswaschen und einen darin getränkten Wundverband anlegen (verschorft und heilt schneller). – Heilpackung: Etwas Heilerde mit Wasser verrühren, ein paar Tropfen Teebaumöl daruntermischen, auftragen und mit einer Mullbinde abdecken (wirkt antiseptisch und heilt schneller).

Johanniskraut *Äußerlich*

Bei Hieb-, Stich- und Schnittwunden, Verbrennungen, blutenden Wunden, Blutergüssen, Quetschungen und Prellungen (besonders an nervenreichen Stellen): Mit Johanniskrautöl getränkte Kompressen auflegen. Mehrmals täglich wechseln.

Besonderheit bei Brandwunden: Johanniskrautöl mit Leinöl ansetzen.

Zusätzliche Desinfizierung: Alkoholische Tinktur (50 %) oder flüssige homöopathische D1-Lösung verwenden. – Wirkt auch blutstillend.

Schlecht ausheilende Wunden und Geschwüre: Urtinktur oder Salben, gut in Kombination mit Arnika.

Wunde Stellen (z. B. durch Wundliegen): Sehr gute Kombination von Johanniskraut mit Arnika und Ringelblume (auch in fertigen Salbenmischungen).

Innerlich

Bei posttraumatischen Prozessen nach Verletzungen, Nervenschädigungen durch Trauma/Schock und zur Wundbehandlung bei Verletzung von Nervenenden: Tiefe bis mittlere homöopathische Potenzen (D1 bis D6) als „Arnika der Nerven".

Schwarzkümmel *Nur äußerlich*: Schwarzkümmelöl direkt oder mit Apfelessig vermischt auf die Wundstelle auftragen.

Zahnschmerzen und Zahnfleischentzündung

Teebaumöl *Nur äußerlich*
Zahnfleischentzündung und Plaque (bakterieller Zahnbelag): 3–5 Tropfen Teebaumöl auf ⅓ Glas warmes Wasser zum Gurgeln. – Teebaumöl direkt in das Zahnfleisch einreiben. – Einige Tropfen Teebaumöl zum Desinfizieren auf die Zahnbürste geben.

Zahnschmerzen und Zahnfleischbluten (auch nach Zahnarztbehandlung): 2–3 Tropfen Teebaumöl mit etwas Kamillenöl vermischen und in warmem Wasser auflösen. 3mal täglich als antiseptische Mundspülung verwenden. Wirkt schmerzstillend und antibakteriell.

Mundgeschwüre: ¼ Tasse Zitronensaft mit ¼ Tasse **Manuka**-Honig gut vermischen. Bei Bedarf 1 Teelöffel davon in den Mund nehmen, aber nicht hinunterschlucken.

Johanniskraut *Nur äußerlich*
Zur Prophylaxe von Karies und Parodontose: Zahnpasta mit Hypericum-Öl verwenden.

Schwarzkümmel *Äußerlich*: 1 Glas Apfelessig mit 2 Eßlöffeln feingemahlenem Schwarzkümmelsamen aufkochen. Durchseihen. Mehrere Tage lang zur ausgiebigen Mundspülung verwenden. – Schmerzende Stellen mit 1–2 Tropfen Öl einreiben.

Innerlich: Feingemahlenen Schwarzkümmel, Anissamen und Gewürznelken zu gleichen Teilen vermischen. Die Pulvermischung im Mund einspeicheln, bis sie sich hinunterschlucken läßt.

Adressen und Bezugsquellen

„Die drei großen Heiler" und daraus entwickelte Nahrungs-ergänzungsmittel gibt es in Naturkostläden, Reformhäusern und Apotheken. Ebenfalls im spezialisierten Versandhandel. Schwarzkümmelsamen sind auch in türkischen oder indischen Lebensmittel- und Gewürzläden erhältlich:

Der Leserservice des Windpferd-Verlages hält darüber hinaus eine mit Liste mit Versandhändlern bereit, anhand derer Sie sehen können, wer welche Produkte anbietet – und aus welchen Ursprungsländern die jeweiligen Produkte kommen.

Vielleicht denken Sie, es wäre einfacher, die Adressen einfach ins Buch zu drucken, damit sie sogleich parat sind. Zwei Gründe sprechen jedoch dagegen: 1. soll die Liste immer aktuell sein und jederzeit neue Anbieter mit aufnehmen können, 2. ändern sich immer wieder Adressen und Telefonnummern. Und das wäre dann sehr ärgerlich für Sie.

Deshalb, schreiben (!) Sie, wann immer Sie aktuelle Informationen wünschen, an die folgende Adresse. Legen Sie dazu bitte immer einen adressierten und frankierten Rückumschlag bei.

Windpferd Verlag
Stichwort: „Drei große Heiler"
Postfach
87648 Aitrang

Wenn sie Informationen über weitere und besonders neue Titel zum Thema oder über Neuerscheinungen der gleichen Autorinnen möchten, dann surfen Sie ins Internet und schauen sich bei http://**www.windpferd.com** um. Hier können Sie darüber hinaus das gesamte Windpferd-Programm kennenlernen.

Sylvia Luetjohann

Das große Schwarz-kümmel Handbuch

Alles über die Schwarzkümmel-öle, ihre Heilwirkungen, Inhalts-stoffe und Anwendungsbereiche

Schwarzkümmel ist ein Heiler par excellence. Seine Einsatzbereiche reichen von der Hautpflege bis hin zur Behandlung von Erkrankungen der Atemwege. Dabei können durch seine «Zellhormone» besonders Allergien sowie Infektionskrankheiten wirksam behandelt werden. Kurz: der perfekte Stabilisator des Immun-systems. In dieser umfassenden Darstellung sind die wichtigsten Schwarzkümmelsorten mit ihren spezifischen Wirkungen anhand praktischer Beispiele beschrieben. Bewährteste Rezepturen aus der traditionellen und modernen Natur-heilkunde für Gesundheits- und Schönheitspflege sowie viele prak-tische Tips erfahrener Schwarzkümmel-Kenner runden diesen Ratgeber ab.

176 Seiten, DM 19,80, SFr 19,00
ÖS 145,00 ISBN 3-89385-221-2

Cynthia B. Olsen

Die Teebaumöl Hausapotheke

Der ganzheitliche Heiler aus Australien · Ein Handbuch über die praktischen Anwendungs-möglichkeiten der Teebaum-Essenz, die in keiner Haus-apotheke fehlen sollte

Teebaum-Essenz aus Australien hat sich zu einem revolutionären Heilmittel auf dem alternativen Gesundheitsmarkt entwickelt. Zwar wurde das Teebaumöl von den Aborigines schon seit jeher zum Heilen von vielen verschiedenen Krankheiten und Beschwerden ver-wendet, aber erst heute haben neu-este Forschungen den ungeheuren medizinischen Wert dieser Sub-stanz bewußt gemacht. Gerade die vielen verschiedenartigen Einsatz-möglichkeiten machen die Essenz zu einem Heilmittel, dessen thera-peutisches Spektrum in keiner Hausapotheke fehlen sollte.

128 Seiten, DM 19,80, SFr 19,00
ÖS 145,00 ISBN 3-89385-138-0

Walter Lübeck

Heilen mit Lapacho-Tee

**Die Heilkraft des „göttlichen Baumes"
Alles über Wirkungen, Anwendungen und die beliebtesten Zubereitungen**

Lapacho-Tee, das traditionelle Naturheilmittel der Indios, ist eines der wirksamsten, preisgünstigsten, vielseitigsten und wohlschmeckendsten Mittel gegen eine Vielzahl von akuten und chronischen Krankheiten, das von den Indianern entdeckt wurde – und heute wiederentdeckt und überall erhältlich ist.
Die Inhaltsstoffe der Lapacho-Rinde wirken entgiftend, pilztötend, antikarzinogen und kommen besonders bei vielen chronischen Problemen zur Anwendung. Zudem ist die Rinde nebenwirkungsfrei und extrem wohlschmeckend. Wohl deshalb nannten die südamerikanischen Indianer ihren Ipe Roxo schon immer den göttlichen Baum"göttlichen Baum".

144 Seiten, DM 19,80, SFr 19,00
ÖS 145,00 ISBN 3-89385-222-0

Martha P. Heinen

Kochen und leben mit den Fünf Elementen

Vitalität, Gesundheit und Lebensfreude durch das traditionelle chinesische Ernährungssystem · Die energetische Qualität von Lebensmitteln und ihre Wirkung auf Körper, Seele und Geist

Eine Ernährung mit der energetischen Wirkung des Fünf-Elemente-Systems schenkt Kreativität, Vitalität und Lebensfreude. Aber eine neue Diät ist das Fünf-Elemente-Ernährungssystem nicht – ganz im Gegenteil: vielleicht sogar das älteste und gesündeste Ernährungssystem der Welt. Über drei Jahrtausende erprobt und weiterentwickelt. Dabei geht es um das ganze Nahrungsmittel als lebendige Einheit und seine energetische Wirkung auf den Organismus. Die thermische Wirkung der Speisen spielt dabei neben den Elementen die wichtigste Rolle.

256 Seiten, DM 24,80, SFr 23,00
ÖS 181,00 ISBN 3-89385-132-1

Cynthia B. Olsen

Essiac – das geheimnisvolle Elixier

Indianische Power-Medizin zur natürlichen Stärkung der Immunkraft

Die kanadische Krankenschwester Rene Caisse, erhielt 1922 das Rezept einer Kräutermedizin von einer Brustkrebs-Patientin, die von einem indianischen Medizinmann erfolgreich geheilt worden war. Mit dieser Medizin, die sie „Essiac" nannte, behandelte sie Tausende von Krebspatienten mit einer unglaublichen Heilungsquote von 80%. Zusammen mit den Basisinhaltsstoffen, heutzutage in Naturkostläden sowie im Versandhandel erhältlich, werden das komplette Rezept von Essiac, die Einnahmemengen und die Gebrauchsanweisungen dargestellt. Außerdem werden Berichte von Patienten, die durch dieses hervorragende Kräutermittel Hilfe erhalten haben, aufgelistet.

128 Seiten, DM 19,80, SFr 19,00
ÖS 145,00 ISBN 3-89385-188-7

Maya Tiwari

Das große Ayurweda Handbuch

Die Geheimnisse des Heilens · Das umfassende Praxisbuch über die Wirkungs- und Anwendungsbereiche von Ayurweda · Ayurwedische Philosophie, Verjüngungstherapien (Abhyanga, Snehana, Svedana) Reinigungstherapie (Pancha Karma), Heildiäten und vieles mehr

Dieses Buch ist in seiner Art die wohl umfassendste Darstellung der ursprünglichen Reinigungs- und Verjüngungstherapien, Pancha Karma, ehemals gelehrt und praktiziert von den alten wedischen Sehern. Sämtliche praktischen Anleitungen sind liebevoll mit Zeichnungen illustriert. Erstmals werden die Geheimnisse dieser anspruchsvollen Heilungsprozesse in einer Art dargestellt, die ebenso umfassend wie einfach, praktisch und leicht nachvollziehbar ist.

528 Seiten, DM 46,00, SFr 42,50
ÖS 336,00 ISBN 3-89385-151-8

Shalila Sharamon · Bodo J. Baginski

Das Wunder im Kern der Grapefruit

Die Geheimnisse des Citrus paradisi · Das praktische Handbuch zur Anwendung bei Infektionen, Entzündungen, Mykosen, Allergien und vielem mehr

Durch Zufall stießen die Bestsellerautoren Shalila Sharamon und Bodo J. Baginski auf ein aus natürlichen Pflanzenextrakten gewonnenes Mittel, das durch ein sehr breit gefächertes Anwendungsspektrum ihr Interesse weckte.
Mit diesem Buch gelang es den Autoren, die weltweiten Therapieerfolge, Erfahrungen und Anwendungsbereiche umfassend zusammenzutragen und eingebettet in eine ganzheitliche Sichtweise begeisternd, allgemeinverständlich und praxisnah darzustellen.

192 Seiten, DM 19,80, SFr 19,00
ÖS 145,00 ISBN 3-89385-161-5

Maggie Tisserand ·
Monika Jünemann

Zauber und Kraft aus Lavendel

Die Geheimnisse des Lavendelblüten-Duftes und seine praktische Anwendung für Gesundheit, Schönheit, Sinnlichkeit, Inspiration und Wohlbefinden

Düfte können heilen, Gefühle entfesseln oder verändern, Erinnerungen wecken, inspirieren und betören. Die Kraft der Düfte ist groß und unwiderstehlich. Die Sprache des Duftes ist universell. Die Bestsellerautorinnen, Maggie Tisserand und Monika Jünemann, beide langjährig mit Düften und den Geheimnissen der Aromatherapie vertraut, stellen hier eine Pflanze vor, deren Duft sich seit Jahrhunderten einer besonderen Beliebtheit erfreut. Ihr überaus praktisches Handbuch gibt viele Tips zum Heilen und Verwöhnen.

160 Seiten, DM 16,80, SFr 16,00
ÖS 120,00 ISBN 3-89385-054-6

Rodolphe Balz

Ätherische Öle
Heilkräftige Essenzen

**Die Duftgeheimnisse von über
200 ätherischen Ölen · Das
kompakte Nachschlagewerk über
Wirkungen und Anwendungs-
möglichkeiten von duftenden
Essenzen für Fitneß, Gesundheit
und Wohlbefinden**

Rodolphe Balz hat viel Erfahrung
mit Pflanzenkräften, seit über 15
Jahren betreibt er biologischen
Anbau von Gewürz- und Heilkräu-
tern in der Provence. Nun gibt er
sein gesammeltes Wissen in diesem einzigartigen Kompendium
von wesentlichen und wichtigen
Informationen über mehr als 200
ätherische Öle, ihre Wirkungsweisen und Einsatzbereiche wieder
und hat somit ein unentbehrliches
Handbuch zur Aromatherapie
geschaffen.

272 Seiten, DM 24,80, SFr 23,00
ÖS 181,00 ISBN 3-89385-136-4

Master Gao Yun

Qi Gong for Life

**Eine Großmeisterin offenbart
ihr Geheimnis von Schönheit,
Vitalität und Gesundheit**

Master Gao, eine Qi Gong Meisterin
von außergewöhnlicher Ausstrahlung,
Kraft und Erfahrung offenbart in
diesem Buch ihr großes Geheimnis:
stets mindestens 20 Jahre jünger
auszusehen als sie ist – und dabei
gesund und vital zu sein.
Ihr „Qi Gong for Life" ist eine neue
therapeutische Form des Qi Gong:
kurze, einfache aber sehr wirkungsvolle Übungen zum Heilen von Blut-
hochdruck, Magen-Darm-Beschwerden,
sexuellen Problemen, Schlaflosigkeit
oder Übergewicht und vielem mehr.
Als Ärztin weiß sie, wo die größten
Probleme liegen, als Qi Gong
Meisterin hat sie den sanftesten und
wirkungsvollsten Weg gefunden, die
Lebensenergie als solche, das Chi
im Menschen zu stärken – die beste
Grundage, sich rundum wohl, gesund
und jugendlich fit zu fühlen.

160 Seiten, DM 24,80, SFr 23,00
ÖS 181,00 ISBN 3-89385-183-6